Assassinatos na Academia Brasileira de Letras

JÔ SOARES

ASSASSINATOS NA ACADEMIA BRASILEIRA DE LETRAS

Romance

COMPANHIA DAS LETRAS

Concepção da capa
Hélio de Almeida

Tratamento de imagem da capa
Almapbbdo

Preparação
Márcia Copola

Assistência editorial
Miguel Said Vieira

Revisão
Carmen S. da Costa
Isabel Jorge Cury

Fotos das pp. 69 e 77
Acervo Copacabana Palace

Dados Internacionais de Catalogação na Publicação (CIP)
(Câmara Brasileira do Livro, SP, Brasil)

Soares, Jô
    Assassinatos na Academia Brasileira de Letras / Jô
Soares. — São Paulo : Companhia das Letras, 2005.

    ISBN 85-359-0617-7

    1. Romance brasileiro I. Título.

05-1144   CDD-869.93

Índice para catálogo sistemático:
1. Romances : Literatura brasileira   869.93

[2005]
Todos os direitos desta edição reservados à
EDITORA SCHWARCZ LTDA.
Rua Bandeira Paulista, 702, cj. 32
04532-002 — São Paulo — SP
Telefone (11) 3707-3500
Fax (11) 3707-3501
www.companhiadasletras.com.br

Em memória
da minha mãe e do meu pai,
que viveram essa época
intensamente e me ensinaram
o prazer da leitura

Ao amigo fraterno Hilton Marques,
que, mais uma vez, teve o
carinho e a paciência de ler antes

Também ao querido Rubem Fonseca,
que insiste em não
me deixar inventar palavras

Meu desejo sincero seria que nossa Academia Brasileira não se esquecesse tanto de que também é de... letras!

AFONSO ARINOS DE MELO FRANCO (1905),

A escalada

La dénigrer, mais toujours tâcher d' en faire partie.

[Denegri-la, mas sempre tentando fazer parte dela.]

GUSTAVE FLAUBERT (1821-80),

Dicionário das idéias feitas

Une compagnie formée exclusivement de grands hommes serait peu nombreuse et triste. Les grands hommes ne peuvent se souffrir les uns les autres et ils n'ont guère d'esprit. Il est bon de les mêler aux petits.

[Uma companhia formada exclusivamente de grandes homens seria pouco numerosa e triste. Os grandes homens não se suportam, e não têm espírito algum. É bom misturá-los com os pequenos.]

ANATOLE FRANCE (1844-1924),

As opiniões do sr. Jérôme Coignard

... *ele sabia que faltava pouco para que a vingança enchesse seu coração de alegria. Repetiu mentalmente o velho provérbio siciliano "La vendetta è un piatto che va servito freddo", até que o ritmo da frase se mesclou com a cadência da respiração. Sabia que só a morte lavaria a honra ofendida. Por duas vezes fora vilipendiado, humilhado. A notícia da recusa, glosada até nos matutinos populares, tornara-o motivo de chacota entre o poviléu. Os falsos amigos comentavam sotto voce, entre sorrisos sarcásticos: "Ele vai tentar de novo e novamente não será aceito. Jamais deux sans trois...". Não lhes daria esse gosto. Seria ele a rir por último. O desagravo tomaria contornos de tragédia. Da sua formação francesa veio-lhe uma frase de Racine: "La vengeance trop faible attire un second crime". "A vingança fraca em demasia atrai um segundo crime." Neste caso não haveria revide. Seus ofensores pagariam com a vida o ultraje. Pensou na perfeita justiça da vindicta: "Enxovalharam-me juntos, morrerão juntos. Na mesma hora". Não foi difícil o acesso à copa, onde se preparavam os quitutes. Como a famulagem não o conhecia, disfarçou-se com o uniforme dos garçons, passando-se por um dos serviçais ajornalados. Trazia o veneno no frasco de prata em que de hábito levava o conhaque. Adicionou o líquido à água quente do chá. A poção libertária faria efeito em poucos segundos. "Finita la commedia!" Divertiu-se vislumbrando a contradição no cabeçalho dos diários do dia seguinte: MORTOS TODOS OS IMORTAIS. Sim. Os quarenta Imortais da Academia. Os mesmos quarenta que haviam recusado seu ingresso na Casa de Machado de Assis, frustrando um sonho acalentado desde a infância.*

O PAIZ

Supplemento Literário

Extraordinário o successo alcançado pelo último livro do senador Belizário Bezerra, o excellente "Assassinatos na Academia Brasileira de Letras".

Como já assinalou esta columna, a obra conta, com muito humor e verve, a história de um mallogrado poeta decidido a vingar-se dos membros da Academia Brasileira de Letras, pois, por duas vêzes, os illustres acadêmicos negaram-lhe aquelles tão cobiçados votos que o acclamariam como "Immortal".

Irônicamente, êste trabalho, que vem coroar uma carreira illuminada por innúmeros successos, deve credenciar inda mais o inspirado auctor para occupar uma cadeira na prestigiosa instituição. Aliás, a de número déz, uma das mais attrahentes daquelle Olympo literário, *et pour cause*: a cadeira número déz teve Ruy Barbosa como fundador.

Escriptor de estylo atrevido e innovador, Bezerra é também um dos políticos mais influentes da República, tendo sido eleito successivamente senador por Pernambuco.

Belizário Bezerra mudar-se-á, n'êste mez, do Grande Hotel para o recém-inaugurado hotel Copacabana Palace.

ANTEVÉSPERA DA IMORTALIZAÇÃO

Ao sair do chuveiro às nove horas da manhã, o senador Belizário Bezerra examinou-se no grande espelho do banheiro da suíte no último andar do Copacabana. Aprovou com um sorriso a imagem que o cristal bisotado lhe devolvia: apesar dos cinqüenta anos, a ginástica sueca praticada diariamente deixava-o com aparência de quarenta. Tinha a convicção de que, além do seu barbeiro, ninguém notava que devia os cabelos negros como azeviche a Auréole, uma nova tinta inventada por Eugène Schueller, fundador da L'Oréal, que ele comprava regularmente em Paris. Penteava-os para trás, imaculados, com brilhantina Yardley. Não fosse o sotaque carregado e o indefectível terno branco de linho S-120, passaria por um legítimo *latin lover* do cinema americano. Bem merecera o apelido de Rodolfo Valentino da Zona da Mata. Seus inimigos abreviaram a alcunha para Valentino da Zona. Todos sabiam que Belizário freqüentava os salões das cafetinas mais requintadas do Rio de Janeiro. Ninguém tinha coragem de pronunciar a forma reduzida do apelido na presença dele. O senador era valente e jamais se separava da sua Parabellum, nem mesmo nas sessões do Senado.

Sua família, dedicada ao cultivo da cana e às usinas de açúcar desde os tempos de Maurício de Nassau, era proprietária de metade da Zona da Mata pernambucana, devastada pela agricultura canavieira, e exercia influência política sobre a outra metade. A valentia dos Bezerra em Pernambuco era lendária, for-

13

jada ainda na luta contra os holandeses. Considerado por muitos o melhor partido do Rio de Janeiro, eram quase audíveis os suspiros das moças de sociedade quando, nos saraus, ele dizia alguns poemas. Vaidoso como poucos, Belizário nunca se furtava a declamar seus versos pouco inspirados. Diga-se a bem da verdade que os dotes literários dele não chegavam a causar impressão. Sem sua fortuna e influência política, jamais teria sido publicado.

O sucesso de vendas dos livros era creditado, em grande parte, ao próprio autor, que comprava várias edições por intermédio dos secretários e mandava distribuir entre os empregados das suas herdades e usinas. Noventa por cento dos peões eram analfabetos, mas guardavam os livros num relicário ao lado da Bíblia Sagrada.

Mesmo assim, o acadêmico pernambucano Euzébio Fernandes, cujos dotes de poeta só se igualavam aos de articulador, garantira a eleição do senador para a Academia. O poder dos Bezerra estendia-se muito além das fronteiras de Pernambuco. Eram freqüentes as visitas que Belizário fazia ao presidente Arthur Bernardes quando saía do Lamas depois do jantar, indo a pé do restaurante, no largo do Machado, até o palácio do Catete. Ademais, a quantia que doara para ajudar nas instalações da nova sede no Petit Trianon suavizara a imparcialidade dos acadêmicos. O fato de tratar-se da cadeira número 10, que pertencera a Ruy Barbosa, um dos mais notáveis membros fundadores, acrescia honra maior ao evento.

Belizário Bezerra andava esfuziante como um adolescente. Vestiu um dos quarenta ternos brancos do guarda-roupa e saiu do hotel no seu Hispano-Suiza conversível pela avenida Atlântica, assobiando um frevo do último Carnaval de Olinda.

VAIDADE DAS VAIDADES, TUDO É VAIDADE!

O destino do senador era a oficina do alfaiate Camilo Rapozo, no centro da cidade, para os últimos retoques no fardão que usaria dali a dois dias, na noite da posse. O alfaiate esperava-o desde segunda-feira, mas o senador só chegara do Nordeste na terça.

Rapozo era o último representante do ateliê de sua família: filho único, não pretendia renunciar à solteirice apenas para perpetuar através da prole a alfaiataria fundada por seu tataravô António Gomes Rapozo, em Lisboa, artífice de cortes e costuras da corte portuguesa e alfaiate do marquês de Pombal. O avô, Apolinário Rapozo, recebera o título de artífice-alfaiate-mor de Sua Majestade e chegara ao Brasil trazido por d. João VI, que não lhe dispensava os talentos.

Aos trinta e seis anos, Camilo era um homem musculoso, de tez morena e olhos oblongos, herança dos mouros que ocuparam a península Ibérica. A cabeça, raspada à navalha, ressaltava-lhe o formato oval do rosto. Durante anos, o topo fora parcialmente coberto por poucos cabelos, que ele deixava crescer de um lado até a altura dos ombros e penteava para o outro, por cima do crânio, numa vã tentativa de ocultar a calvície precoce. Fixava o laborioso emaranhado com *gomina* argentina, que, quando seca, transformava as ralas madeixas numa carapaça negra.

O vento era seu pior inimigo. Certa vez, quando

se dirigia a pé para casa, uma ventania levantou o tampo construído a duras penas com os fios escassos. Foi nesse momento aviltante que o alfaiate resolveu se livrar do inútil penteado.

Sua maior vaidade era a unha desproporcionalmente longa no dedo mindinho da mão direita. Havia um motivo profissional para aquela discrepância: a unha era uma ferramenta de trabalho, pontiaguda como um pequeno punhal. Rapozo seguia o hábito dos grandes alfaiates de Lisboa, que a usavam para marcar correções no pano quando da primeira prova. Com a concisão de um compasso, ele traçava círculos perfeitos, calcando a ponta afiada na trama dos tecidos ingleses.

Camilo conhecia os segredos da confecção de uniformes, fardões, redingotes e casacas, segredos que vinham sendo transmitidos por sua família havia dois séculos. Pela prática do ofício, sabia, como poucos, quais os vieses e outros cortes oblíquos que davam um caimento impecável à camurça de lã inglesa do fardão. Incomparáveis as costuras com fio de ouro francês, o remate dos galões, o leve pregueado das passamanarias, o conforto provocado pelo recorte milimétrico das cavas e, o mais difícil, o peitilho encimado por um colarinho rígido, soberbo, porém inacreditavelmente confortável.

Não menos importante era a exatidão do gancho das calças, com folga aconchegante à esquerda e o cós na altura certa. Conhecendo o poder calórico dos quitutes do chá das cinco, o alfaiate de mãos mágicas conseguia esconder, sem prejudicar o corte e os ornamentos, sobras de fazenda dobradas em plissês e bainhas falsas, o que permitia alargar a vestimenta acompanhando a corpulência sedentária dos imortais.

Tantos talentos transformaram Camilo Rapozo no alfaiate oficial da Academia Brasileira de Letras.

ALFAIATARIA DEDAL DE OURO

A PROVA DE UM HÁBITO QUE FAZ O MONGE

Belizário Bezerra apertou a campainha, e Camilo, numa reverência, abriu a porta para o celebrado cliente. O alfaiate vestia-se com apuro e trazia presa ao pulso a tradicional almofadinha povoada por dezenas de alfinetes. Empunhava um exemplar do *Assassinatos na Academia Brasileira de Letras*.

— Será que, antes de experimentar o fardão, o senador pode me dar um autógrafo? — pediu Rapozo, correndo, com livro e caneta, atrás de Belizário, que se dirigia a passos largos para a cabine de prova.

Indiferente, sem dizer uma palavra, Bezerra rabiscou seu nome numa caligrafia ilegível.

— Vai demorar? — perguntou. — Tenho reuniões no Senado.

— Não, não! Vou já buscar. Está belíssimo, uma obra-prima! Também, o físico do senador ajuda muito... — disse o alfaiate, adulador.

Largou a caneta e o livro no balcão, e seguiu, com passos miúdos, até os fundos da alfaiataria. Voltou de lá trazendo nos braços o fardão como se fosse a capa-magna do papa.

— Nem vai precisar de retoques. É de longe o meu melhor trabalho.

No afã de se vestir, Bezerra pôs logo a parte superior, o que provocou o risinho dissimulado do alfaiate. Vendo-se no espelho, Belizário percebeu o motivo da chacota: lá estava ele de cuecas e imortal da cintura para cima.

— Vamos com isso que eu não tenho o dia todo — disparou, irritado.

Realmente nada havia a corrigir. A vestimenta sublinhava o porte altivo de Belizário Bezerra. Embevecido, o escrevedor imaginava-se aceitando a nomeação num constrangimento simulado. Aproveitando o momento de enlevo do senador, Camilo atreveu-se:

— E quanto ao pagamento, Imortal? — perguntou, tratando-o pelo título ainda não oficializado. — Será que tarda?

— Você sabe muito bem que é costume o governo do estado natal do escritor oferecer o fardão. Não me meto nisso — respondeu Belizário rispidamente.

Óbvio que Bezerra poderia pagar o vestuário. Embora caríssimo, não era mais do que ele gastava numa noitada com os amigos nos bordéis de luxo das Laranjeiras. Se não o fazia, era apenas por uma questão de vaidade. Era praxe, uma lei não escrita: o estado do imortal morria com a conta do alfaiate. Só que Rapozo não se conformava. Já lhe deviam vários fardões, com a desculpa de que a verba sairia dos cofres públicos.

— Tenha paciência, seu Rapozo! — diziam. — E a glória de ser o homem que veste a Academia?

— Glória não enche a barriga dos meus filhos — retrucava Camilo, que não os tinha nem pretendia tê-los.

O senador dirigiu-se para a saída.

— Entregue amanhã no meu hotel.

Enquanto o alfaiate abria a porta pensando no seu

provável prejuízo, Bezerra deu-lhe um envelope. Rapozo animou-se, antevendo a gorda propina.

— É um convite para a posse — explicou, magnânimo, o futuro imortal, estendendo o cartão. — Venha ao hotel antes pra ajudar a me vestir.

— Claro, Excelência. Obrigado, Excelência...

Ao cruzar a soleira, Belizário virou-se rapidamente.

— Ah! Antes que eu me esqueça. — Inclinando-se, passou a mão na cabeça lisa do alfaiate. — É pra dar sorte... — esclareceu, e saiu batendo a porta.

O imperturbável mestre alfaiate suspirou, engolindo mais uma vez a humilhação que sentia quando o usavam como amuleto. Sim, porque Camilo Rapozo era anão.

Filho, neto e bisneto de anões alfaiates, todos perfeitos, como os sete da Branca de Neve.

A POSSE DO IMORTAL

Em 1923, o governo francês, por meio do seu embaixador Alexandre Conty, doou à Academia uma réplica do Petit Trianon de Versalhes, edifício construído um ano antes, na avenida Presidente Wilson, no centro da cidade, para abrigar o pavilhão da França na Exposição do Centenário da Independência. Nessa noite abrasadora de abril dar-se-ia a primeira posse de um imortal na nova sede. O Salão Nobre estava mais quente ainda devido à quantidade de pessoas famosas que se apinhavam no local. Graças ao prestígio do senador, além dos acadêmicos, havia deputados, outros senadores e o ministro da Viação e Obras Públicas. Sérgio Loreto, governador de Pernambuco, mandara representante. Senhoras elegantes tentavam afastar o calor com leques rendados de hastes de madrepérola. Vinham presenciar a noite de glória do inefável beletrista.

Um alarido ecoou pela sala, saudando a chegada do futuro imperecível. Belizário Bezerra, o Rodolfo Valentino da Zona da Mata, assemelhava-se a um imperador de opereta. O colar banhado de ouro e o espadim lavrado aprimoravam essa aparência. A tez queimada pelo sol do Nordeste fundia seu rosto com o verde e o dourado do esplêndido vestuário. Carregava, sob o braço, o chapéu bicorne emplumado, e percorreu o salão debaixo de aplausos, apertando mãos úmidas entre as luvas brancas. O andar de Belizário tinha a firmeza marcial dos militares e a graça dos bailarinos. À sua passagem ouviam-se exclamações arrebatadas: "*Quel panache!*", "*Quelle allure!*". Um desavisado que desconhecesse a ocasião e o visse passar assim paramentado seguramente perguntaria, inclinando-se num salamaleque: "Sois rei?".

A noite anunciava-se auspiciosa. Bezerra seria acolhido na Casa de Machado de Assis por seu mais empenhado cabo eleitoral e conterrâneo do Recife, o poeta Euzébio Fernandes. A competência inegável que Euzébio demonstrava para a lisonja exigida pelas circunstâncias não lhe diminuía o talento de escritor. Era poeta maior, admirado por Bilac e por outros freqüentadores da Livraria Garnier.

Nessa noite ele envergava uma sóbria casaca preta. Afirmava que o fazia por modéstia, mas a verdade é que nem os recursos milagrosos do alfaiate Camilo Rapozo conseguiriam que o antigo fardão voltasse a emoldurar a robustez do vate: Fernandes engordara vinte quilos desde sua posse. Com fartos bigodes e barriga empinada, parecia irmão gêmeo do poeta Emílio de Menezes.

Para espanto geral, e contrariando o protocolo, o volumoso poeta iniciou a solenidade, privilégio do homenageado. As palavras com que recebeu Belizário Bezerra foram um primor de conciliação. Em duas horas de fraseados retumbantes, por várias vezes logrou elogiar o autor sem falar da sua obra. Ao terminar, citou apenas o último livro, *Assassinatos na Academia Brasileira de Letras*:

— ... finalmente, não poderia me furtar também ao panegírico da nossa altipensante instituição, que se demonstrou capaz de *rire de soi-même* com a espirituosa *trouvaille* do insigne escritor, o qual levou o picaresco vilão de seu romance a nos envenenar a todos de uma vez. Oh, deliciosa burla! Oh, brilhante facécia! Como dizia Voltaire, *"l'humour est l'apanage de l'intelligence"*. Parabenizo o autor e a Academia. *Bravo l'auteur! Bravo L'Académie!*

Orador brilhante e histriônico, Euzébio foi brindado com aplausos calorosos.

Agora era a vez do novo acadêmico. Belizário preparara um texto com elogios bombásticos a Ruy Barbosa, falecido menos de um ano antes. A expectativa adensava-se, tornando-se quase palpável no Salão Nobre da nova Academia. O calor e o pesado fardão faziam-no transpirar abundantemente. Desdobrou as oito páginas do seu discurso, pigarreou para clarear a voz e disse:

— Não sei bem se tenho o direito de sentar-me na cátedra do tão excelso intelecto que aqui me precedeu. Sinto-me pequeno beija-flor à sombra das colossais asas da Águia de Haia. É com imensurável emoção...

Seguiu-se uma pausa, um tremor de mãos que muitos atribuíram ao nervosismo, e o senador Belizário Bezerra, o mais recente dos imortais, caiu fulminado no chão do Petit Trianon.

OBITUÁRIO

Paradoxo Fatal

Os convidados que estiveram presentes antehontem ao acto de posse do senador Belizário Bezerra na Academia Brasileira de Letras chocaram-se com o lamentável incidente que veio ennodoar a noite, enlutando o Petit Trianon.

Suppõe-se que, não resistindo à emoção da cerimônia, o homenageado foi acommettido por um mal súbito, tendo morte instantânea.

Collegas acadêmicos, summidades no âmbito da medicina, que fizeram o primeiro exame no senador, suspeitam que ele tenha soffrido um insidioso ataque de apoplexia ou, mais provável, um enfarte do myocárdio.

Saliente-se aqui, guardando-se, por supposto, as differenças, a ironia do triste episódio: o último livro de Belizário Bezerra, que lhe valeu louvores de crítica e público, descreve a morte, por assassinato, de todos os Immortais.

Belizário Bezerra está sendo velado no Petit Trianon, e será enterrado amanhã, às 16 horas, no cemitério S. João Baptista, em Botafogo, último abrigo dos Immortais fallecidos.

PULVIS EST ET IN PULVEREM REVERTERIS

Uma chuva de gotas grossas caía sobre a cidade do Rio de Janeiro naquela tarde de céu encoberto, e relâmpagos festejavam a tempestade. Contrariando a crença de que aguaceiros aliviam o calor, os termômetros acusavam uma temperatura de trinta e nove graus. O clima não impediu que os partícipes se apresentassem a rigor para as últimas despedidas ao senador da República e emérito escritor Belizário Bezerra, no cemitério São João Batista. Havia mais gente ainda que no dia da posse. Sérgio Loreto viera de Pernambuco, e até a autoridade maior do país, o presidente Arthur Bernardes, estava lá, de cartola e sobrecasaca, prestigiando o amigo morto, apesar das preocupações com o estado de sítio, que vigorava desde o governo anterior.

Turistas ocasionais também se amontoavam em volta do túmulo, dando mostras da curiosidade mórbida que se manifesta em catástrofes e nos enterros de pessoas ilustres.

Imortais mais ansiosos já cabalavam, entre si, votos para futuros candidatos. Causava estranheza vê-los de fardão e guarda-chuva.

Outros grupelhos contavam anedotas e riam disfarçadamente. Mulheres envoltas em renda negra trocavam idéias, em voz baixa, sobre os últimos lançamentos da moda em Paris e falavam do exótico Cuir de Russie, novo perfume de Coco Chanel.

Deputados e senadores, conhecedores das tensões do momento político, dirigiam olhares para o presidente, conjecturando sobre possíveis rebeliões tenentistas, inspiradas pelos Dezoito do Forte. Enfim, como em qualquer funeral, o único silencioso era o morto.

Todos pretendiam despachar o defunto com um necrológio pujante, porém o criminalista Aloysio Varejeira foi o mais pressuroso. Quando ele puxou do bolso o panegírico, um enorme círculo abriu-se à sua volta. O inescrupuloso advogado era temido pelo seu mau hálito.

Os maledicentes imputavam-lhe o sucesso nos tribunais ao bafejo cáustico, cultivado por anos de vinho avinagrado e queijo-do-reino, que ele expelia, ameaçador, em direção aos jurados. Pura aleivosia: o talento de Varejeira era tão perigoso quanto seu bafo venéfico.

A não ser por essa discutível qualidade, Aloysio era um homem comum. Portava bem seus setenta e oito anos, não escondia os cabelos brancos, e os dentes perdidos numa juventude descuidada haviam sido substituídos por belas dentaduras de marfim. O fardão, esmaecido por anos de baú, não conseguia atenuar-lhe a penosa figura. Desprendia-se dele um almíscar em que o odor da naftalina se confundia com o da bafagem malfazeja. Somando-se a tudo isso a transpiração abundante do advogado, ficava mais que justificado o largo espaço formado em seu redor. Mesmo assim, algumas senhoras protegiam as narinas com lencinhos perfumados, fingindo prantear o finado.

Indiferente a tudo, Aloysio Varejeira ajustou no nariz o *lorgnon* que lhe facilitava a leitura, abriu a boca cheia de molares luzidios e, engrolando um ruidoso gorgolejo, tombou morto sobre o caixão do seu confrade.

TEORIA DAS COINCIDÊNCIAS

AXIOMA DE LUZATTI

Amadeo Luzatti (1498-1572), astrônomo genovês, professor de filosofia da Universidade de Bolonha
"... *La creatura umana è legata a tutte le parti dell' universo.*"
(A criatura humana é ligada a todas as partes do universo.)

❄ ❄ ❄ ❄

POSTULADO DA TEORIA DAS COINCIDÊNCIAS

Tendo uma amostra significativa, mesmo um evento extremamente improvável torna-se provável, e, portanto, qualquer coisa está fadada a acontecer.

❄ ❄ ❄ ❄

REFUTAÇÃO PEREMPTÓRIA
À TEORIA DAS COINCIDÊNCIAS

TEOREMA DE PENZANI

Giacomo Penzani (1512-1603), algebrista florentino, matemático da corte do duque da Toscana
"... *La questione è dimostrata con chiarezza in questo teorema:*"
(A questão é demonstrada com clareza neste teorema:)

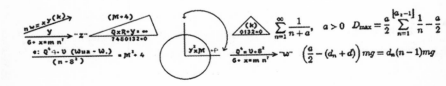

IMPOSSIBILIDADE METAFÍSICA
DAS COINCIDÊNCIAS

DOGMA DE GALDERÓN Y FUENTES

Frei Diego Galderón y Fuentes (1530-1619), teólogo madrilenho, inquisidor do Tribunal do Santo Ofício "A identidade ou igualdade absoluta de duas ou mais pessoas, eventos ou objetos que altere a ordem divina é uma heresia, indicando intervenção satânica no universo celestial criado por Deus Todo-Poderoso."

O HOMEM DA PALHETA

O comissário Machado nada entendia de teoremas e axiomas, nem era homem de grandes convicções religiosas: "Católico não praticante", costumava dizer. Mas certamente não acreditava em coincidências. Ainda mais se a coincidência envolvia duas pessoas de renome.

Dez anos na polícia haviam-no persuadido de que as coisas não aconteciam por acaso. Quando ele leu, n'*O Paiz*, a notícia da morte dos dois acadêmicos por ataque cardíaco, seu instinto de investigador entrou em alerta. Segundo os médicos, nenhum deles tinha histórico de problemas vasculares.

Por se tratar de literatos, o comissário, compulsivo devorador de livros, logo se interessou pelo caso. O hábito da leitura fora-lhe incutido pelo pai, Rubino Machado, escrivão de caligrafia primorosa do 2º Cartório de Imóveis. Tamanha era a admiração de Rubino por Machado de Assis, que batizara de Machado o filho. Nome: Machado. Sobrenome: Machado. Desde os tempos de colégio perpetravam-se gracejos com o nome em dobradinha do comissário Machado Machado.

Magro, de olhos negros, olheiras cavas — fruto das noites maldormidas nas delegacias —, que lhe valeram o apelido de Coruja, cabelos compridos de poeta que irritavam seus superiores, Machado Machado era um homem bonito. Tinha mãos longas, de pianista, as unhas impecavelmente tratadas pelas manicures do Hotel Avenida. Não as tratava por vaidade, e sim por zelo profissional. Ninguém como as manicures para conhecer todas as futricas de uma cidade. Enquanto cortavam peles e cutículas, as moças nem se davam conta quando lhe passavam informações valiosas. Às vezes, aquelas alegres meninas tagarelas eram-lhe mais úteis que os alcagüetes das delegacias.

À diferença da maioria dos policiais, que usavam chapéus de feltro com abas largas, o Coruja não abria mão da palheta, chapéu feito de palha trançada, desde que vira, um ano antes, *O homem mosca*, com Harold Lloyd. Inesquecível a imagem do comediante, nas alturas, pendurado nos ponteiros do relógio gigantesco na parede de um arranha-céu, de palheta na cabeça. Decerto não combinava com as algemas e o Colt .45, a arma semi-automática que Machado portava num coldre de ombro.

O chapéu-palheta e o terno mal passado emprestavam-lhe um ar jovial, acentuando seu jeito enganador de menino desprotegido.

As mulheres achavam-no perturbador, intrigante, e encantavam-se com seu nome em eco: "Machado Machado... Machado Machado...". Aos trinta e quatro anos, fumante desde os dezoito, não abdicava dos cigarros Cairo, da Tabacaria Londres, feitos de fumo turco, um tabaco de cheiro forte, inconfundível.

Machado tinha uma paciência quase patológica e sempre conseguia o que desejava. Sua obstinação era lendária na polícia.

Da paixão do Coruja pela esgrima, no entanto, poucos sabiam. Era o único esporte que ele praticava. Ficara fascinado pelos duelos desde meninote, ao ler *O Corsário Negro* e todos os livros de aventuras de Emilio Salgari. O comissário treinava regularmente na sala D'armas do mestre italiano Ruggiero Buonaventi, no largo da Carioca. Excedia-se no manejo do sabre, do florete e da espada. A persistência levava-o a aprimorar todos os golpes à perfeição. Mestre Ruggiero considerava-o seu melhor discípulo e não entendia de onde vinha a resistência quase ilimitada daquele homem que fumava entre os exercícios.

Nessa manhã ensolarada de quinta-feira, três dias depois do ocorrido no cemitério São João Batista, ele tentava convencer, com a teimosia habitual, o chefe de polícia, general Floresta, a deixá-lo investigar a morte dos acadêmicos. Floresta espantava-se com a perseverança e ousadia do comissário: "Que petulância a desse homem, vir até meu gabinete com essa história absurda! Deixemos os mortos enterrarem seus mortos, que eu tenho mais o que fazer!", pensou.

Bastavam as medidas discricionárias e os métodos repressivos do estado de sítio. Não necessitava de mais aborrecimentos. Servindo-se de um imaculado lenço de cambraia com monograma bordado pela própria esposa, enxugou o suor do rosto, e bufou:

— Tudo isso porque o senhor não acredita em coincidências?

— Exatamente, general.

— Pois eu acredito — pontificou o chefe de polícia, como se a resposta encerrasse a arengada. — Passe bem.

Machado nem se moveu.

— General, só estou lhe pedindo que ordene um exame mais detalhado dos cadáveres. Uma autópsia. Se não surgir...

— Autópsia!? Em dois imortais!? Você enlouqueceu de vez! Quer que eu seja odiado pela Academia? — esbravejou Floresta, que almejava glórias futuras.

— Ninguém precisa ficar sabendo. Posso arranjar isso com o doutor Penna-Monteiro, lá do Instituto. É só o senhor dar a ordem. Pra alguma coisa devem servir estes horríveis tempos de exceção...

O general fingiu não ouvir a crítica ao governo e tentou demovê-lo:

— Olhe que às vezes acontecem coincidências inacreditáveis. Você conhece o caso do rei Humberto I, da Itália?

— Não, senhor — disse o Coruja, paciente.

— Pois bem. Na noite de 28 de julho de 1900 — começou Floresta, que tinha ótima memória para coisas inúteis —, o rei Humberto I da Itália jantou com seu secretário num restaurante em Monza. O rei notou que o dono do restaurante era idêntico a ele.

— Idêntico?

— Não me interrompa! — disparou o chefe de polícia.

Machado supôs que ele devia brilhar contando essa asneira em todas as reuniões sociais. Floresta continuou:

— Por curiosidade, o rei começou a conversar com ele e descobriu que os dois tinham muitas coisas em comum. O dono do restaurante também se chamava Humberto, ambos haviam nascido em Turim no mesmo dia, a sua mulher se chamava Margarida, como a rainha, e o restaurante foi inaugurado no mesmo dia da coroação do rei. Pois bem. No dia seguinte, o dono do restaurante foi assassinado por um desconhecido na mesma hora em que um anarquista matava o rei Humberto. É ou não é uma coincidência? — terminou, triunfante.

— Pode ser, mas há uma dissonância nessa história.

— Como? — irritou-se o militar.

— Um era o rei da Itália, e o outro era só dono de restaurante.

Pelo argumento esfarrapado, o chefe de polícia percebeu que não adiantava lutar contra a teimosia do seu funcionário.

— Está certo! Se lhe dá tanto prazer revirar as entranhas alheias, vá em frente! Mas nem uma palavra a ninguém antes de descobrir algo suspeito — concedeu, vencido.

— Claro, general.

— Agora, eu tenho que cuidar de assuntos mais sérios — resmungou Floresta, mergulhando na leitura da revista *Careta*.

FIDELITER AD LUCEM PER ARDUA TAMEN

"Fidelidade à verdade a qualquer custo": era o que dizia o escudo de bronze, símbolo do novíssimo Instituto Médico-Legal, colocado na entrada do necrotério instalado na praça XV. O Serviço Médico-Legal passara a ser subordinado diretamente ao Ministério da Justiça.

Nada mais apropriado para a inauguração daquelas dependências do que as duas necropsias dos distintos extintos que jaziam sobre as reluzentes mesas de metal.

Devido ao trânsito e ao segredo que cercara toda a operação, os corpos chegaram só às três horas da tarde. Uma minúcia protocolar acrescentava estranheza maior àquele cenário soturno: ambos haviam sido enterrados com seus fardões.

Entre as duas mesas, estava o legista Gilberto de Penna-Monteiro. Figura imponente — quase dois metros de altura, cabelos encaracolados e voz de baixo profundo —, lembrava um guerreiro conquistador posando ao lado de seus despojos. Penna-Monteiro era conhecido pela meticulosidade. Nada escapava àqueles pequeninos olhos castanhos e percucientes. O comissário Machado Machado fora seu colega de ginásio, e o destino solidificara essa amizade forjada nos bancos de colégio. Lá estava ele junto ao amigo, fumando o inseparável Cairo, enquanto aguardava, ansioso, o início das intervenções.

— Penna, vamos logo com isso. Tenho que devolver esses defuntos ainda hoje! — exclamou, revelando total falta de respeito.

— Calma. Primeiro me ajuda a tirar essas fatiotas.

— Eu?!

— Claro. Você não disse que queria sigilo absoluto? Dispensei meus assistentes.

Despir defuntos não é uma empreitada tão simples como pode parecer à primeira vista, sobretudo quando estão com uniforme de gala. Machado esperava que todo aquele trabalho não fosse inútil. Sabia que o chefe de polícia jamais deixaria de lembrar-lhe o erro, caso fracassasse. Afastou o funesto pensamento e empenhou-se, ao lado de Penna-Monteiro, em desnudar os acadêmicos. Mesmo tendo morrido há mais tempo, Belizário Bezerra achava-se em muito melhor estado que Aloysio Varejeira. Pena que isso não servisse de consolo ao senador. Pouquíssimos confrades foram, no dia seguinte, ao enterro do criminalista, não se sabe se por estarem abalados ou por superstição.

Os cadáveres encontravam-se cobertos de manchas roxas, e a pele rachara em diversos pontos. Os rostos apresentavam a mesma coloração azinhavrada. A pele embaixo do queixo tornara-se violácea, formando um colar à volta do pescoço. Os dois tinham marcas idênticas por todo o corpo. Machado atribuiu tais alterações a um começo de decomposição, no que foi contestado.

— Não. Existe alguma coisa estranha aqui — afirmou, intrigado, o legista, abrindo a boca do advogado. — Olha só como a língua dele está escura.

— Claro. Diziam que ele tinha um hálito horroroso.

— Não se trata disso. Pode ver que a língua do colega tem a mesma cor.

Machado afastou os maxilares de Bezerra e constatou que era verdade. As duas línguas exibiam tonalidade semelhante. Havia um certo humor funéreo na postura dos imortais de boca escancarada. Penna-Monteiro declarou:

— Os dois apresentam sinais de pelagra e *lingua nigra*.

— Língua o quê?

— *Lingua nigra pilosa*. A língua parece preta por causa da hipertrofia e do alongamento das papilas filiformes na parte superior. Fica com esse aspecto peludo e com essa coloração porque as papilas desenvolvem colônias de bactérias cromatogênicas.

— Sei, bactérias cromatogênicas... — comentou Machado, irônico.

— São fungos formados por carência de enzimas — explicou o legista. — O engraçado é que também estão com todas as características da pelagra.

— E isso, agora, vem a ser o quê? — perguntou o comissário, cada vez mais aturdido.

— Uma doença causada por má alimentação, deficiência de ácido fólico, vitaminas e sais minerais. Está vendo este colar formado pela coloração diferente da pele? Chama-se colar de Casal, em homenagem a *don* Gaspar Casal, um médico espanhol. Ele foi o primeiro a identificar a doença, por volta de 1700. Nós chamamos a pelagra de "doença dos três D": dermatite, demência e diarréia. Só leva à morte a longo prazo e se não for tratada. Não é possível que dois homens bem alimentados tivessem isso. E ninguém morre de *lingua nigra*, que é de origem desconhecida mas é benigna.

Machado Machado horrorizou-se:

— Belo consolo. O sujeito se olha no espelho, vê

que está com a língua preta, não sabe como pegou, mas fica tranqüilo porque é benigna.

— Um dia tudo isso vai ser descoberto. Não esqueça, Machadinho, que a medicina é uma ciência de verdades transitórias — pontificou Penna-Monteiro, um dos poucos a chamá-lo pelo diminutivo.

— Está bem. Enquanto essas verdades não transitam, me esclarece sobre esses sinais.

— Pra mim só tem uma explicação: veneno.

— Eu sabia que essas mortes não eram naturais! — exclamou o Coruja. — Que veneno?

— Isso eu não sei. Certamente não é nenhum dos clássicos. Minha intuição me diz que é algum tóxico desconhecido, porque nos meus anos de legista nunca vi nada semelhante.

O médico estava desnorteado. O estudo de venenos era sua especialidade. Havia defendido tese sobre o tema em Cambridge, na Inglaterra, onde primeiro se graduara *summa cum laude* em medicina forense e em química.

A família Penna-Monteiro era constituída por gerações de obstetras bem-sucedidos. Seu bisavô fizera o parto de d. Pedro II, no palácio de São Cristóvão, na Quinta da Boa Vista. Fora um desgosto quando Gilberto revelara sua paixão pela medicina legal.

— Vou abrir os corpos pra ver se encontro mais algum indício — resolveu.

Duas horas depois, os imortais, costurados e vestidos, eram despachados de volta ao túmulo, para enfim desfrutarem do sossego eterno.

O comissário Machado observou o cenho franzido do médico ao ver o rabecão do Instituto, disfarçado em ambulância, afastando-se em direção ao São

João Batista. Estavam os dois intrigados com o resultado final da necropsia. A princípio, nada parecera anormal, até que Penna-Monteiro extraiu o coração do peito de Belizário Bezerra. O órgão estava enrugado tal qual um pergaminho, encolhera, e sua cor era negra, como a língua. Assemelhava-se às cabeças reduzidas e mumificadas pelos jivaros, os índios peruanos caçadores de cabeça. O coração de Aloysio Varejeira tinha aparência idêntica.

Pela primeira vez desde que entrara para a polícia, contrariando o desejo do pai, que o queria bibliotecário ou advogado, Machado assustou-se com a presença da morte. Despediu-se em silêncio do amigo. Logo teria que prestar contas ao chefe confirmando seus piores receios. "Imortais assassinados", pensou. "Como no livro."

Anteviu o escândalo estampado nos jornais e lamentou não ter se enganado. Sabia que o general Floresta odiava portadores de más notícias.

O dr. Gilberto de Penna-Monteiro, legista por profissão e cientista por vocação, demorou-se ali na soleira, sob o emblema de bronze no umbral do necrotério. Absorto em visões soturnas, girava entre os dedos o botão que arrancara de um dos fardões como *souvenir* daquelas mortes misteriosas.

O PAIZ

RIO DE JANEIRO, SABBADO, 12 DE ABRIL DE 1924

Assassinatos na Academia Brasileira de Letras!

Chegou a esta redacção uma espantosa notícia: os dois membros da Academia Brasileira de Letras mortos há uma semana foram assassinados. As autoridades officiais competentes, depois dos resultados de minuciosa necropsia, chegaram à conclusão de que o óbito, anteriormente attribuído a causas naturaes, foi provocado por um veneno mysterioso.

O chefe de polícia, general Floresta, apesar de ver-se às voltas com a denúncia de uma conspiração anarchista promovida por subversivos profissionaes infiltrados na União dos Operários em Construcção Civil, prometteu não medir esforços para desvendar os execráveis homicídios.

Salientou o general que desconfiou immediatamente do succedido. "Não sou homem de acreditar em coincidências", annunciou.

Floresta affirmou ser o crime ainda mais condemnável, pois as victimas pertenciam à fina flor da nossa intellectualidade.

O general ordenou ao comissário Machado Machado que iniciasse, *ipso facto*, as diligências appropriadas, outorgando-lhe *carte blanche*. Explicou que êsse subalterno, reconhecido por sua efficiência investigativa, é também um ardoroso admirador das bellas-letras.

Decretou, na mesma occasião, que o legista dr. Gilberto de Penna-Monteiro, do Instituto Médico-Legal, collaborasse com o comissário, tendo em vista seu profundo conhecimento chímico das substâncias venenosas.

O chefe de polícia assegurou um rápido desfecho para o afflictivo e clamoroso *affaire* policial.

INDISCRIÇÕES DE UM PARLAPATÃO

Às onze horas da noite, não havia uma pessoa no restaurante Lamas que não tivesse um jornal aberto à sua frente. O farfalhar de todas aquelas páginas, folheadas à procura de mais detalhes dos crimes, lembrava uma revoada de pombos.

Sentado à mesa habitual, Machado Machado lia, estarrecido, a notícia publicada n'*O Paiz*. A burrice do general suplantava a desfaçatez com que falara à imprensa. Haviam combinado manter sigilo sobre os homicídios, para facilitar a sindicância, mas o chefe de polícia, na ânsia de aparecer, tinha convocado uma entrevista coletiva. O estabanado falastrão acabara de liquidar a vantagem que levavam sobre o assassino. "Agora, o matador sabe que eu sei e sabe que eu sei que ele sabe", pensou, irritado, o Coruja. Jurou a si mesmo que somente revelaria qualquer nova descoberta a Floresta quando prendesse o criminoso.

Machado não estava no restaurante apenas para jantar. Freqüentado por boêmios, artistas, intelectuais, políticos, jornalistas e até por umas poucas ovelhas negras do clero, o Lamas também servia de precioso manancial de informações. Suas portas não fechavam nunca. Um dos boêmios assíduos, o Garoupa, contava que dois anos antes, por ocasião da primeira revolta dos tenentes, foi impossível baixar a grade de ferro que protegia o local. Estava emperrada por falta de uso.

Os garçons, que funcionavam como olheiros, sempre a par dos últimos mexericos a circular pela cidade, eram outra fonte de notícias que o Coruja cultivava com carinho. O mais popular deles, o Bodoque, como o chamavam, aproximou-se do policial.

— Então, comissário? Alguma novidade sobre os Crimes do Penacho? — cochichou, batizando a ocorrência em função das plumas que adornavam o chapéu bicorne dos acadêmicos.

Devido ao grande número de jornalistas fregueses das mesas servidas pelo Bodoque, Machado tinha certeza de que, em breve, o apodo viraria cabeçalho nos clichês dos diários.

— Bodoque, você sabe muito mais que eu das novidades.

— Pode ser, comissário, mas nesse caso estou boiando — disse, pensativo, o garçom. — Vou sentir falta do senador. Vinha muito aqui. Gostava de dar boas gorjetas.

— E o doutor Aloysio Varejeira? Também vinha?

— Quem? O Vavá Boca de Esgoto?

— Bodoque, respeite os mortos... — admoestou Machado, suprimindo o sorriso.

O garçom não se abalou:

— A morte só lhe pode ter melhorado o hálito. O sopro daquele homem derrubava urubu no vôo. Ele vinha menos. Era o homem mais unha-de-fome que eu conheci. Não comia ovo pra não jogar a casca fora. Gorjeta, então, necas.

— Por acaso viu os dois juntos alguma vez?

— Nunca. O senador, quando vinha acompanhado, era por mulheres lindas — Bodoque sussurrou. — Volta e meia, aparecia tarde da noite com aquela artista de teatro, a Monique Margot. Que monumento, seu delegado. Quando ela chegava, quase que eu derrubava a bandeja!

Para um profissional como o Bodoque, a expressão era o auge do elogio.

Monique Margot era uma *girl* francesa disputadíssima por rapazes e coronéis. Chegara ao Brasil na companhia de revistas Ba-Ta-Clan, que, um ano antes, trouxera ao Rio de Janeiro a famosa estrela Mistinguett.

Conhecendo suas limitações artísticas, e ao mesmo tempo percebendo as imensas possibilidades financeiras que o país lhe oferecia, graças à vocação para a macheza e para o coronelismo, quando a trupe voltou à França, depois da turnê, a esperta francesinha preferiu ficar por aqui. No momento, participava de *Alô!... Quem fala?*, no Teatro São José.

— Aliás, estiveram aqui dois dias antes dele morrer — prosseguiu Bodoque. — Chamou atenção porque tiveram uma discussão feia. Falavam baixinho, disfarçando, mas eu notei que ele estava tiririca e a coisa quase descambou num forrobodó.

— Você não ouviu nem do que se tratava? — perguntou Machado, sabedor da curiosidade insaciável do garçom.

— Tentei, mas eles ficavam calados sempre que eu chegava perto.

Não era grande coisa, mas, com as poucas pistas que tinha, no dia seguinte o Coruja estaria, sem dúvida, no auditório do Teatro São José. Terminou o cafezinho, pagou a conta sem esquecer uma boa propina e, ajeitando o chapéu-palheta na cabeça, saiu fumando um Cairo, enquanto Bodoque mergulhava no burburinho perene do Lamas.

OH LÀ LÀ! VIVE LA FRANCE! VIVE LA FÉERIE!

Na primeira fila do São José, o comissário Machado Machado admirava os reclames estampados no pano de boca que guarnecia o palco. Era costume vender esse espaço para ajudar a pagar a montagem do espetáculo. Muito coloridos, eles formavam uma animada colcha de retalhos. Os casais de namorados, para passar o tempo, antes do começo e no intervalo da peça, ficavam brincando de descobrir onde se encontrava esta ou aquela palavra no texto dos anúncios.

Terminara o primeiro ato de *Alô!... Quem fala?*. O libreto de Carlos Bittencourt e Cardoso de Menezes satirizava o serviço telefônico, que volta e meia apresentava problemas dias a fio, irritando os assinantes. O público rira a valer, identificando-se com aquelas mazelas, e continuava em estado de alumbramento e alegria. A revista absorvera a influência das montagens francesas que passaram pelo Rio de Janeiro e deixaram uma marca inconfundível: a *féerie*. O gênero caracterizava-se por muitas luzes, máquinas de fazer fumaça, cenários grandiosos, música e, claro, como atrativos indispensáveis, o humor dos cômicos e o "nu artístico" das *girls*.

Machado ganhara o lugar privilegiado no "gargarejo" graças à sua amizade com o administrador. A primeira fila dos teatros era assim chamada porque a proximidade do palco obrigava o espectador a inclinar a cabeça para trás e ele ficava pasmo, de boca aberta, diante das modelos. Olhando de longe, tinha-se a nítida impressão de que a fila inteira estava gargarejando. Em princípio, o "gargarejo" era totalmente ocupado por senhores ricos de excelente fama que vinham se deleitar com a nudez das meninas pobres de fama duvidosa. Depois de uma apreciação *in loco*, os "coronéis" faziam às coristas propostas ditas indecorosas. Sendo uma extraordinária negociadora, a esperta e belíssima Monique Margot já abocanhara dois solitários de cinco quilates, três apartamentos no Flamengo, um sobrado em Copacabana, onde morava, e um automóvel Packard novinho em folha. Sem falar numa conta em banco cada vez mais polpuda. Seu salário mal dava para pagar a maquilagem importada.

A sala estava lotada além da sua capacidade. Pessoas apinhavam-se em pé, atrás das galerias e da última fila. *Alô!... Quem fala?* sairia de cartaz na quarta-feira em razão da Semana Santa e só voltaria no dia 19, após o Sábado de Aleluia. Conhecendo a instabilidade das temporadas teatrais, muitos temiam que isso não acontecesse.

Machado notou que Monique Margot tinha *status* de vedete. Foi ela quem abriu o segundo ato, cantando um grande sucesso de Mistinguett, "Ça, c'est Paris", o qual adaptou com inteligência para "Ça, c'est Rio". Cantava cobrindo-se apenas com dois imensos leques de plumas que deixavam entrever os seios esplêndidos. Era, sem dúvida, uma mulher fascinante. Tinha a pele muito branca, quase translúcida, a contrastar com cabelos ruivos, grandes olhos verdes, longas pernas e coxas generosas. Durante o número, ouviam-se suspiros abafados na platéia. No meio do segundo ato, enquanto se trocava o cenário, um novo cantor, chamado Francisco Alves, foi aplaudidíssimo ao interpretar um *cabaretier*.

O espetáculo terminou em clima de festa. Pouco a pouco, o público foi deixando o teatro e seguindo em direção à praça Tiradentes. O Coruja esperou esgotar-se a fila de admiradores endinheirados que se acotovelavam nos bastidores, marcando encontros, e bateu à porta do camarim da corista.

— *Un moment!* — gritou a vedete.

Fingindo não conhecer bem a língua francesa, Machado foi entrando. A moça postava-se em frente a um grande espelho, totalmente nua. O comissário entendeu por que os milionários disputavam a peso de ouro os favores de Monique Margot. Desculpou-se, tirando o chapéu-palheta:

— Perdão! Pensei que fosse pra entrar...

A francesinha avaliou-o sem pressa dos pés à cabeça. A palidez e as olheiras profundas do policial lembravam-lhe um retrato de Rimbaud, publicado na edição d'*Une saison en enfer*, que ela guardava desde criança. Depois, escondeu-se atrás do biombo, não antes dele constatar que Monique era realmente ruiva.

Ela não deve ter desgostado da visita inesperada, porque, enquanto vestia um quimono, disse, apontando o pequeno sofá do camarim:

— Já que entrou, sente-se. O senhor deseja?

— Meu nome é Machado. Sou comissário de polícia, e gostaria de...

— Se veio fiscalizar, vou lhe avisando que minha carteira foi registrada — cortou, ríspida, Margot. — Ou vai exigir que eu faça algum exame de saúde?

O registro, feito na polícia, na carteira das atrizes era idêntico ao das prostitutas. Apesar do empenho de vários artistas e intelectuais, a lei continuava igual. O Coruja, que considerava essa qualificação absurda, defendeu-se:

— *Mademoiselle*, jamais viria aqui com essa missão insultuosa. Tenho o maior respeito pelo seu trabalho.

Não esclareceu a qual das duas atividades se referia: a de atriz ou a de cortesã. Preferiu manter a ambigüidade da resposta.

Monique aproximou-se, com o quimono entreaberto, e perguntou, provocadora:

— O que deseja, então?

— Estou investigando a morte dos dois acadêmicos.

— *Mon ami*, só seria possível eu matar alguém, do coração, durante o meu número... — afirmou a vedete, rindo e sentando-se ao lado dele.

O quimono deixava ver parte dos seios. A moça cruzou as pernas com sensualidade calculada, mostrando o joelho roliço.

Machado levantou-se e acendeu um cigarro. Forçou a concentração.

— É que a senhora foi uma das últimas pessoas a ter uma conversa *tête-à-tête* com uma das vítimas, Belizário Bezerra — explicou, gastando seu francês.

Monique deu uma gargalhada.

— *Mon chéri*, era impossível ter uma conversa *tête-à-tête* com ele. O máximo que se conseguia era uma conversa "coxa-a-coxa"...

— Eu pediria que a senhora...

A francesinha interrompeu, achegando-se a ele:

— Antes de mais nada, eu prefiro que me chame de você. Afinal, temos intimidade suficiente. Você me viu *toute nue*...

Machado acendeu outro cigarro na ponta do primeiro. Manteve uma aparência de calma.

— Está certo. Será que você podia me dizer do que se tratava? Soube que foi mais uma discussão que uma conversa.

— Bobagem. Uma briga vulgar envolvendo amor e dinheiro.

— Como assim?

— Ele queria mais amor, e eu queria mais dinheiro...

— Você notou alguma diferença no seu comportamento? Ele falou de algum receio, de algum medo?

— Você já viu *colonel* pernambucano demonstrar medo? — respondeu Monique, misturando as línguas.

Machado despediu-se, a contragosto, acendendo o terceiro cigarro na ponta do segundo:

— Bem, é só. Muito obrigado pela sua paciência.

A vedete chegou mais perto.

— Pensando bem, houve um momento em que ele reclamou de um guarda-costas que devia ter vindo do Recife e ainda não tinha aparecido. Estava nervoso e inseguro, queria que o capanga chegasse antes da posse. Ficou furioso por causa disso e quis descontar em mim.

O comissário achou que talvez a informação fosse relevante. Entregou um cartão a Monique.

— Se lembrar de mais alguma coisa que possa ter relação com os assassinatos, por favor, me ligue, a qualquer hora do dia ou da noite.

A francesinha colou seu corpo no do comissário.

— Tem preferência? De dia ou de noite?

Perdendo a contenção que lhe restava, o detetive atirou longe o cigarro e beijou Monique avidamente. Os dois caíram abraçados sobre o sofá. A vedete arrancou as roupas de Machado, enquanto ele deixava em frangalhos o frágil quimono. E apalparam-se às cegas, como se quisessem guardar a memória dos seus corpos.

Esse momento de plena entrega foi interrompido por batidas violentas na porta:

— Dona Monique! Está pegando fogo aí dentro! Estou sentindo cheiro de fumaça!

Era o bombeiro que ficava de plantão no teatro.

Machado Machado percebeu que seu cigarro aceso havia caído na cesta de papéis do camarim da estrela. E pensou seriamente em parar de fumar.

O REPOUSO DO GUERREIRO

Machado acordou tarde no dia seguinte. Depois do episódio pirotécnico ocorrido no camarim, Monique carregara-o para sua casa, em Copacabana, de onde o detetive saíra, exausto, às cinco horas da manhã. Como sentia no corpo moído os excessos da véspera, preferiu tirar a tarde para descansar. A cabeça pesava-lhe, não por causa do champanhe que tomara com a francesa, mas em razão do intrigante mistério dos assassinatos. Que haveria de comum entre as duas vítimas além da imortalidade? Por acaso, o senador fora cliente do criminalista? O advogado deveria favores ao político? Teria participação nas mortes o capanga nordestino, cuja chegada não consumada tanto irritara Belizário, ou ele ansiava por sua presença porque temia pela própria vida? E o jurista de reputação nebulosa? Por que se precipitara em ler o necrológio? Apenas por vaidade, ou era uma forma secreta de ironia? Resolveu que o melhor que tinha a fazer era cumprir a árdua tarefa de ler o último livro de Bezerra em busca de alguma pista.

Anoitecera quando o comissário Machado Machado terminou a leitura do *Assassinatos na Academia Brasileira de Letras*. Não havia dúvidas quanto ao talento de Belizário Bezerra: como escritor, a posteridade reservava-lhe o anonimato. A insipidez era sua musa inspiradora. Com afinco admirável pontificava, em várias línguas, sobre os temas que mais ignorava.

O empenho do delegado em procurar pistas no livro mostrou-se inútil. O único ponto em comum era que, tanto na ficção como na vida real, os acadêmicos morriam envenenados. Entretanto, no romance morriam todos, e o veneno fora despejado no famoso chá das cinco, no Petit Trianon. Bezerra não o descrevia no texto, porém certamente a droga usada era menos intoxicante que a sua prosa. No caso dos assassinatos reais, nem chá existia. Desconhecia-se o veneno e o modo como fora ministrado. Penna-Monteiro continuava no laboratório particular improvisado em sua casa, tentando identificá-lo. Passava as noites percorrendo velhos compêndios que pudessem conter alguma informação relevante, mas, por enquanto, o enigma permanecia impenetrável.

Machado atirou o livro longe, suspirou e dirigiu-se para a cozinha em busca de um copo de água. A ressaca deixava-lhe um travo na boca. Quando atravessava a sala, ouviu passos afastando-se pelo corredor do prédio. Era um andar ligeiro, que produzia um som seco. O comissário saiu para o corredor a tempo de ouvir a porta do edifício bater. Às pressas, desceu os poucos degraus que o separavam da entrada e ganhou a rua, de pijama e chinelo. Não viu ninguém, mas o ruído das passadas rápidas contornando a esquina soava em seus ouvidos.

O Coruja voltou para casa, com uma sensação de mal-estar. Seu sexto sentido de policial dizia-lhe que o visitante incógnito tinha algo a ver com o caso. Foi quando avistou no chão, perto da soleira, um envelope que haviam enfiado por baixo da porta. Não tinha endereço marcado, muito menos remetente. Lembrou-se de que a janela da cozinha dava para a rua lateral e correu para abri-la. Debruçando-se, ainda teve tempo de ver um vulto alto e cabisbaixo, de chapéu e sobretudo pretos, perdendo-se na escuridão da noite.

No envelope, numa folha de papel branco, apenas um nome formado por letras recortadas de revistas e enfeitado pela figura de um pássaro.

"Era só o que me faltava. Venenos com quebra-cabeças", disse consigo mesmo o comissário Machado Machado, que nada entendia de charadas e odiava passarinhos.

FILTROS & POÇÕES

Enfiado na biblioteca do casarão da família no Cosme Velho, Gilberto de Penna-Monteiro lia calhamaços antigos de medicina e escritos arcaicos de alquimia à procura de qualquer tipo de informação sobre a substância que aniquilara os dois acadêmicos.

O primeiro registro de uma essência preparada com o intuito de conseguir resultados letais constava de um papiro egípcio guardado no museu do Louvre, em Paris, que mencionava a manufatura de um veneno colhido em sementes de frutas. Os sacerdotes da deusa Sekhmet, divindade associada à pestilência e à cura das doenças, extraíam do caroço de pêssego, mediante um processo de destilação inventado por eles, a substância agora conhecida como ácido prússico ou cianídrico. Essa substância era utilizada nos sacrifícios de seres humanos a Ptah, deus criador da matéria e companheiro de Sekhmet. Sua ingestão provocava morte quase instantânea.

Sabia-se que outrora, na China, os mandarins suicidavam-se engolindo folhas de ouro. Já os hebreus tinham noção das propriedades do acônito, uma planta extremamente venenosa. Mas foi na Grécia antiga que se ampliou o conhecimento sobre venenos, com o manuseio do arsênico em forma de realgar, sulfeto de arsênio, e em metais como o mercúrio, o cobre, o chumbo e a prata.

Foram também os gregos os primeiros a pesquisar antídotos; os médicos recomendavam a ingestão de azeite quente para provocar vômito antes que o alimento envenenado fosse absorvido pelo organismo. O resultado desses antídotos era quase sempre improfícuo.

Em Roma, no ano 200 a. C., os manuscritos de Lívio descrevem a morte misteriosa de várias pessoas importantes ligadas ao senado. Os óbitos foram atribuídos à peste, até que uma escrava do cônsul Quinto Fábio Máximo revelou o nome de diversas envenenadoras que pertenciam à aristocracia.

Em 1321, em plena Idade Média, surgiu, na França, o hábito de envenenar cisternas com um caldo composto de sangue de leprosos, esperma de um enforcado e ervas daninhas, ao qual se adicionava uma hóstia consagrada, pois o bispo Hugues Géraud garantia que a fusão sacrílega da pureza com a impureza lhe decuplicava a força destrutiva.

Todavia, foi na Renascença que a escola italiana de envenenadores atingiu o apogeu. Em 1543, o monge Giovanni di Ragusa, no Concílio de Trento, dispunha-se a eliminar qualquer indivíduo considerado censurável ou repreensível, oferecendo um vasto sortimento de venenos de eficácia garantida. Pode-se dizer que o dedicado monge transformou em arte seu ofício, tanto que criou uma tabela de tarifas diferentes para cada empreitada.

PREÇOS AFERIDOS POR GIOVANNI DI RAGUSA

PARA O ENVENENAMENTO DO GRÃO-SULTÃO
   SOLIMÃO, O MAGNÍFICO: . . . . **500** DUCADOS
PARA O REI DA ESPANHA: . . . . **150** DUCADOS,
                                      MAIS AS DESPESAS DE VIAGEM
PARA O DUQUE DE MILÃO: . . . . **60** DUCADOS
PARA O MARQUÊS DE MÂNTUA: . . . . **50** DUCADOS
PARA O PAPA: . . . .**100** DUCADOS

Num adendo à relação, lia-se: "Quanto mais distante for o trabalho efetuado, quanto mais eminente for o destinatário, maior deverá ser a remuneração deste humilde servo do Senhor".

(Vale salientar que o que se pagava para envenenar o grão-sultão equivalia ao preço do envenenamento de cinco papas.)

Em 1670, o alquimista milanês Giuseppe Borri desvendou a origem da doença que vinha minando a saúde de Leopoldo I, da Áustria. O mal que afligia Sua Majestade, debilitado a ponto de não deixar seus aposentos, era causado pelas velas que, em candelabros, iluminavam-lhe a alcova. Os pavios estavam impregnados de uma grande quantidade de arsênico, que, ao queimar, emanava vapores intoxicantes. Eliminados os círios, Leopoldo I, depois de ingerir um antídoto secreto criado por Borri, recuperou-se rapidamente. Uma investigação posterior revelou que aquelas velas tinham sido preparadas pelo *Pater-Procurator* dos jesuítas e entregues ao camareiro-mor do palácio com a recomendação expressa de que só fossem queimadas nos aposentos do imperador, pois eram bentas e proporcionariam boa saúde a ele.

Tão importantes quanto os venenos eram os antídotos. Certas fórmulas, como a Theriaca Philonium, criada por Zopyros, um esculápio grego do ano 80 a. C., continuavam sendo prescritas na farmacopéia londrina do século XVIII. Esse emaranhado químico, que chegou a conter duzentos e cinqüenta medicamentos, era considerado o *Antidotum Universalis*. Entre outras drogas exóticas, compunham a mistura: extrato de papoula, pimenta, gengibre, alcaravia, melado, vinho, sangue de víbora e os dentes de um guerreiro albino morto em combate.

Penna-Monteiro presumiu que, caso o doente não morresse do veneno, morreria do remédio.

Passava da meia-noite, e o médico resolvera adiar a pesquisa para o dia seguinte, quando ouviu a sineta do portão. Pelo basculante da biblioteca, viu Machado Machado apertando a campainha com uma das mãos e segurando um envelope na outra. Abriu a porta e fez o amigo entrar, ironizando:

— O que houve, Corujinha? Trocou o emprego de polícia pelo de carteiro da noite, ou está só justificando o apelido?

— Sei que é tarde — respondeu o comissário, entregando-lhe a mensagem cifrada que havia recebido pouco antes —, mas não ia dormir sem que você visse isso.

Gilberto de Penna-Monteiro examinou o bilhete

e coçou a cabeça. A coisa toda já estava bastante complicada. Não precisavam de mais enigmas.

— Brás Duarte? Você conhece algum Brás Duarte?

— Nem Brás, nem Duarte. Tem mais: odeio aves desde que tive um vizinho que criava uma araponga — explicou Machado, apontando o pássaro aboletado no papel.

Os dois sentaram-se à mesa da cozinha. Ficaram ali em silêncio, bebericando um café requentado, como se o líquido negro lhes fosse clarear as idéias.

De repente, o legista levantou-se e começou a andar, pensando alto:

— Será que algum imortal escreveu sobre ornitologia?

Animado, o detetive também se levantou, quase derramando a infusão morna na calça amarfanhada.

— Não sei, mas pelo menos é uma idéia a ser investigada. Vou amanhã mesmo ao Petit Trianon!

— Seja paciente, Machadinho. O melhor é ir na quinta-feira, quando o chá das cinco é mais concorrido. É nesse dia da semana que acontecem as reuniões regulares e as eleições.

— Tens razão. Aliás, preciso ir ao Copacabana Palace pra ver se alguém tem notícias do guarda-costas.

— Que guarda-costas? — quis saber Penna-Monteiro.

— Um capanga que era esperado aqui no Rio e sumiu. Parece que o Belizário estava muito chateado com isso.

— Como é que você soube?

— Tenho fontes no mundo teatral — respondeu, misterioso, Machado, sem comentar sua proveitosa aventura francófila.

— Entendi, fontes femininas... — adivinhou Gilberto, que conhecia bem o amigo.

— Depois eu conto, agora não é o momento — desconversou o comissário.

Penna-Monteiro lembrou-lhe um assunto que estava sendo negligenciado:

— Seria bom, também, investigar mais a vida do outro morto, o Aloysio Varejeira.

— Já pensei nisso. Aliás, conto com a sua ajuda; vamos dividir os trabalhos. Vê se descobre alguma coisa sobre ele, amanhã, no Tribunal do Júri. Vou ter que passar o dia na chefatura, botando a papelada em dia. Afinal, o Floresta pôs você à minha disposição — disse Machado, zombando do amigo. — Na quarta, vou ao Copacabana Palace.

— Que tal trocarmos de tarefa? — sugeriu o legista.

— Nunca! Você conhece mais juristas do que eu, pobre mortal. Vou ter que me entediar no cassino do hotel. Como dizia Machado de Assis, "a vida é cheia de obrigações que a gente cumpre, por mais vontade que tenha de as infringir deslavadamente" — declamou, canastrão, o comissário, num falso tom de tragédia.

DURA LEX SED LEX

Penna-Monteiro conhecia bem o prédio do Tribunal do Júri. Já tivera que demonstrar sua experiência de legista um ano antes, durante o julgamento do rumoroso Crime do Açougueiro, quando provou que Júlio Macário desmembrara a mulher, ainda viva, com a ajuda de Severino Silva, um auxiliar de açougue, por quem se apaixonara. Veio a se descobrir posteriormente que Macário sempre fora homossexual e apenas por interesse se casara com a portuguesa Maria Amélia, que era filha do comendador Manoel Ferreira, proprietário de uma rede de açougues.

Depois de um banquete antropofágico, em que saborearam um churrasco das nádegas da infeliz senhora, Júlio e Severino recolheram as sobras em sacos de aniagem e, durante a madrugada, lançaram os restos do corpo na jaula dos leões, no jardim zoológico, em Vila Isabel.

Eram quatro horas da tarde, e um mormaço sufocante pesava sobre a cidade. Os jornais diziam, como todo ano, que jamais se vira tamanho calor em abril desde a época do Império. A canícula não impedia que advogados e rábulas atarefados circulassem, vestidos de preto, pelo antigo edifício da rua da Relação.

O médico chegou ao mesmo tempo que um chofer de libré, ao volante de um Panhard & Levassor, estacionava à entrada do Tribunal. Rodrigo Dantas, um velho jurista amigo de seu pai, abriu a porta, antes que o motorista pudesse fazê-lo, e saltou, lépido, do automóvel. Entusiasta de Émile Zola, emulava-lhe a barba, o bigode e o *pince-nez*. Dantas era tido como um dos adversários mais perigosos diante de um júri. Usava o humor como arma mortal. Muitas vezes, bastava um comentário mordaz sobre a incompetência dos promotores, para absolver o réu. Defendia, *pro bono*, operários, anarquistas e comunistas que não podiam lhe pagar os honorários.

Certa vez, cobrou uma fortuna de uma família milionária paulista para representar um rapazote de vinte e um anos acusado de, bêbado, espancar um desconhecido no Carnaval de Petrópolis. Quando lhe perguntaram por que aceitara o caso, respondeu: "Os ricos também têm direito à defesa".

Gilberto de Penna-Monteiro, que o apreciava desde menino, aproximou-se, respeitoso. Sentia-se ínfimo diante daquele monumento.

— Mestre Rodrigo, posso roubar um pouco do seu tempo?

— Meu filho, *roubar* não é um termo muito apropriado para se usar aqui — disse o advogado, rindo e apontando o prédio do Tribunal. — Se quer falar comigo, vamos até o botequim do Almeida, na rua do Lavradio. É o melhor cafezinho do Rio de Janeiro.

Pela maneira efusiva como foram recebidos, percebia-se que Rodrigo Dantas não era um freguês comum. Ele explicou a alegria do português dono do boteco:

— Ano passado, uma construtora tentou despejar o Almeida e seus vizinhos pra construir aqui um desses monstrengos modernos que estão desfigurando o centro da cidade. Cuidei pra que isso não acontecesse... — concluiu com um sorriso maroto.

Sentaram-se a uma mesa afastada, nos fundos, e o aroma do café fumegante logo os envolveu. Rodrigo adiantou-se:

— Imagino que o assunto diz respeito aos crimes que você está investigando. Pode falar à vontade. Aqui é o meu escritório não oficial.

Gilberto sorveu um gole do café.

— Nós estamos quebrando a cabeça pra descobrir o motivo dos assassinatos. Acho que ninguém melhor que o senhor pra me traçar o perfil de uma das vítimas.

— Você está se referindo ao Aloysio Varejeira, é claro, porque eu não conhecia o outro, o político borra-papéis.

Penna-Monteiro anuiu com a cabeça.

— Exato. Tem idéia de quem desejaria a morte dele?

— Praticamente todos que já estiveram no raio de uma légua do seu hálito.

— Era tão terrível assim? — divertiu-se o médico.

— Um pavor. Não havia como escapar. O hálito virava a esquina atrás da gente.

— Além desse atributo duvidoso, o que mais pode me dizer a respeito dele?

— Nada de muito bom. Era um sujeito miserável, daqueles que não jogam peteca pra não abrir a mão.

Pra você ter uma idéia: antigamente, no bar da sede do Jockey Club, não se cobrava suco de laranja. Todo dia o Aloysio tomava uma jarra. Há pouco tempo, resolveram cobrar um vintém pelo copo, uma cobrança simbólica, que era destinada aos garçons. Pois bem. O Varejeira passou a tomar sal de frutas como se fosse refresco, porque era de graça... — O jurista baixou a voz e confidenciou: — Sei que ele entrou pra Academia chantageando um dos membros mais influentes da Casa. Os protegidos desse homem são sempre eleitos. Inclusive, basta que ele anuncie seu apoio, pra que o indicado seja candidato único...

Gilberto interessou-se imediatamente:

— Quem é esse homem todo-poderoso?

— Olha, meu filho, vou lhe dizer porque eu era muito amigo do seu pai, meus dois filhos nasceram nas mãos dele, mas, apesar de saber com certeza, não tenho provas concretas. Por isso, seja discreto, veja lá o que vai fazer.

Penna-Monteiro tranqüilizou-o:

— Nunca trairia sua confiança, doutor Rodrigo. Ainda me lembro dos rebuçados cor-de-rosa, em forma de bonequinhos, que o senhor me dava quando eu era garoto.

O jurista riu ao lembrar-se do fato.

— Então foi ali que nasceu esta "doce" amizade...

Levantou-se e chamou o português, querendo a conta. Almeida gritou lá do balcão:

— O dinheiro do senhor doutor Rodrigo Dantas aqui não vale nada!

Mesmo assim, o advogado deixou escondida sob a xícara uma nota que daria para pagar vinte bules de café. Virou-se para Penna-Monteiro e segredou:

— O nome do acadêmico é Lauriano Lamaison. Gilberto espantou-se. Lamaison era temido pelos homens mais influentes do norte ao sul do país. Afirmava-se que o sexagenário solteirão, dono de uma cadeia de jornais e revistas de escândalo, possuía arquivos com histórias escabrosas sobre quase todos os figurões da República. Suas empresas enquadravam-se na categoria de "imprensa amarela", expressão inventada para designar o *The New York Journal*, de William Randolph Hearst. Quando Hearst roubou do *The World*, de Joseph Pulitzer, o autor do personagem de história em quadrinhos The Yellow Kid, criou-se o conceito de *Yellow Journalism*, "Jornalismo Amarelo", aplicado a todos os periódicos do gênero sensacionalista.

Lamaison adorava as tiras desenhadas e publicava diversas em seus jornais. Achava que lhe davam sorte. Os inimigos diziam que os quadrinhos eram a única leitura do magnata. À socapa, chamavam-no de Barão Amarelo. Gilberto não entendia como Varejeira pudera chantagear um homem tão poderoso.

— É um mistério para mim também — declarou Rodrigo, como se adivinhasse as reflexões do médico. E, puxando-o em direção à saída, fez suas suposições:
— Mas ele era advogado do Barão, sem querer pode ter descoberto algo terrível. Varejeira não tinha ética nem escrúpulos, deve ter se aproveitado de alguma patifaria que descobriu, pra encurralar o cliente. Sei que o Lauriano pagava uma fortuna pra ele tratar dos negócios mais escusos.

Penna-Monteiro não entendia como o Barão Amarelo conseguira entrar para a Academia Brasileira de Letras. Mesmo com o poder que seus arquivos lhe emprestavam, precisava de um pretexto, e o legista não se recordava de nenhuma obra escrita por Lamaison. Indagou a Dantas:

— Que livros ele escreveu?

— Só um. Às vezes, basta um pra ser aceito — ironizou o jurista.

— Um romance?

— Quem dera. Ele escreveu foi um tratado de ornitologia sobre pássaros brasileiros. O título é muito original: *Tratado ornitológico sobre a fauna alada do Brasil.*

— Ele entende de pássaros?

— Se abutre for passarinho... O velhaco entende mesmo é de carniça.

Gilberto lembrou-se imediatamente do bilhete com o nome Brás Duarte e a ave, e perguntou ao jurista se conhecia alguém com aquele nome.

— Brás Duarte? Não. Nunca ouvi falar. Qual é a ligação desse homem com o caso?

— É o que gostaríamos de saber — disse Penna-Monteiro.

Rodrigo Dantas ajustou o *pince-nez* e voltou em passos rápidos para o casarão do Tribunal do Júri.

— Agora, se me dá licença, tenho que cuidar do caso de um padeiro anarquista que está sendo perseguido sem motivo.

Virou-se, antes de desaparecer pelos portões.

— E não esqueça: cautela! *"Ipsa scientia potestas est."* — E traduziu para o legista, adaptando a frase que se tornaria lugar-comum: — "Informação é poder!".

PELO TELEFONE

Enquanto Penna-Monteiro passara o dia descobrindo subsídios sobre Aloysio Varejeira, Machado Machado ficara na chefatura cumprindo a parte que detestava da sua profissão: preencher laudas formalizando os trabalhos, datilografando na velha Underwood, à qual faltava o W. A alegação para que não se comprasse uma nova máquina de escrever era que, em português, quase não se usava a letra ausente. O Coruja odiava aquela burocracia. Quanto mais ele castigava o teclado com dois dedos, mais se dava conta do pouco progresso da investigação. Omitiu o bilhete com o nome formado por letras recortadas e enfeitado com o passarinho, por medo de que o chefe de polícia o revelasse à imprensa. Floresta não perderia a oportunidade de aparecer novamente nos jornais.

Entardecia, e a lata de cera Parquetina que servia de cinzeiro ao comissário já estava cheia até a borda de tocos de cigarro. Quando ele se levantou para esvaziá-la, o telefone tocou. Machado despejou os tocos no lixo e atendeu:

— Alô?

— Machadinho?

— Então, Gilberto? Valeu a pena ir ao Tribunal?

— Valeu, e muito, Machadinho... Mais do que eu esperava. Você nem imagina o que descobri.

— Vai contar ou não vai? Até parece *Os mistérios de Nova York* — disse, referindo-se ao filme que havia feito um sucesso tremendo alguns anos antes.

— Dou uma bala se você adivinhar como foi que o Varejeira entrou pra Academia.

— Dou outra se você não contar logo. Só que outro tipo de bala — retrucou, agastado, o comissário.

O médico riu da impaciência do amigo.

— Sabia que o Aloysio Bafo de Dragão foi candidato único?

Machado estava aflito demais para achar graça em apelidos.

— Candidato único? Não sabia que ele tinha esse prestígio todo.

— E não tem mesmo. Conseguiu a proeza porque foi lançado... adivinha por quem?

— Quer me enlouquecer? Fala de uma vez!

— Pelo temido Lauriano Lamaison.

— O Barão Amarelo?

— Ele mesmo. De quem Aloysio era advogado pra certas transações duvidosas. Parece que o falecido sabia de um segredo inconfessável a respeito do Lauriano e prometeu silêncio em troca da eleição garantida.

O Coruja teve que se divertir com a ironia.

— Quer dizer que o chantageador virou chantageado?

— Pois é, foi pago na mesma moeda.

— O que será que o Varejeira conhecia de tão escandaloso da vida do Barão?

— Pouca coisa não era.

Machado Machado continuou:

— Isso coloca Lauriano Lamaison como suspeito.

— Pode ser, mas, conhecendo a reputação do Aloysio Varejeira, duvido que ele não tenha tomado precauções. Sabia muito bem que desafiar o Lauriano era correr risco de vida.

Súbito, o comissário lembrou-se de um boato antigo, logo abafado, que correra pela cidade.

— Não andaram dizendo que era comum ver o Rolls-Royce prateado da Manuela Pontes-Craveiro estacionado nos jardins da casa de campo do Lamaison, em Petrópolis?

— A mulher do embaixador? Aquela mulher maravilhosa?

— Não se esqueça do poder do Lauriano. O poder é sedutor. Quer um exemplo? Você e eu temos a mesma idade, no entanto eu fascino muito mais as mulheres...

Penna-Monteiro gargalhou do outro lado da linha.

— Talvez, mas sou muito mais bem conservado.

— Pudera, lidando o dia inteiro com formol... — respondeu Machado. E logo voltou a falar sério: — De toda forma, é uma pista a seguir. Os jornais do Lamaison abafariam qualquer boato, mas o Varejeira podia conhecer algum detalhe sórdido desse romance insólito. Seria um escândalo.

— A mansão dele, em Petrópolis, fica perto da casa dos meus pais. Vou falar com nosso caseiro, o seu Arlindo. Trabalha pra gente há trinta anos. É capaz de ter ouvido essa história. Não custa averiguar. Você sabe que em cidade pequena todos os caseiros se conhecem — prontificou-se o médico.

— Boa idéia. Amanhã, vou ao hotel Copacabana Palace, mas depois mergulho aqui, nos arquivos, pra ver se não aparece alguma outra coisa.

Penna-Monteiro acrescentou:

— Ah, antes que eu me esqueça: você conhece a "obra" que levou Lauriano Lamaison à Academia?

— Ele tem livro publicado? Que livro?

— Um tratado sobre os pássaros do Brasil. Que tal? Um canalha daqueles escrevendo um livro bucólico...

— Nunca se sabe. "O vício é muitas vezes o estrume da virtude" — lançou Machado, citando Machado.

Ao desligar o telefone, veio-lhe à mente o passarinho equilibrado nas letras recortadas do nome Brás Duarte no bilhete. Ia ser obrigado a consultar o livro de Lamaison.

Anoitecera. O Coruja pegou a palheta no cabide, vestiu o eterno paletó amassado do terno de cambraia e partiu para a rua da Assembléia. Como sempre antes de ir para casa, passou no Braço de Ferro e tomou uma caneca de chope.

Nem atentou para a figura alta e sombria, vestindo um longo sobretudo, que o seguia pela calçada oposta.

TABULA SMARAGDINA

O diagrama que representa a Tábua de Esmeralda, de Hermes Trismegisto, já conhecida dos sírios no século X, estava incrustado na pesada porta de madeira da água-furtada no velho casarão isolado da rua dos Inválidos. Dentro do círculo, viam-se as palavras: VISITA INTERIORA TERRAE RECTIFICANDO INVENIES OCCULTUM LAPIDEM. "Visita o interior da Terra e, purificando-te, encontrarás a pedra oculta." As primeiras letras da frase em latim formavam o acróstico *vitriol*, fórmula celebrada pelos alquimistas.

Era ali, escondido de olhares curiosos, que o Envenenador preparava seus filtros de amor à morte. Depois de seguir Machado Machado até o bar na rua da Assembléia, voltara para o refúgio no último andar da casa, onde instalara o laboratório. Enquanto triturava sementes de frutos irreconhecíveis e pequenas amêndoas roxas num grande almofariz de pedra, ele inclinava e levantava o corpo, murmurando obsessivamente um cantochão ininteligível.

O Envenenador, ou Veneficor, como preferia assinar suas anotações, era um dos últimos remanescentes da Veneficorum Secta, a seita dos envenenadores, fundada pelo monge guerreiro Isidoro de Carcassonne, egresso dos Cavaleiros da Ordem dos Templários por práticas de magia negra, em 1311, antes da injusta extinção da Ordem e antes que o último grão-mestre dos Cavaleiros, Jacques de Molay, fosse queimado vivo — o que aconteceu três anos depois — por ordem do rei Filipe IV, o Belo.

Isidoro conhecia profundamente os mistérios da alquimia, e seria mestre na transmutação dos metais. A Veneficorum Secta detinha as mais poderosas receitas de envenenamento, e relatos sobre a existência dela foram registrados nos tratados de ocultismo até 1560, quando quase cessou a cronologia secreta de suas atividades.

Contudo, há fortes indícios de que Catherine Deshayes, conhecida como La Voisin, uma das mais célebres envenenadoras do século XVII, que foi condenada à morte por suprir com suas poções várias damas da corte do rei Luís XIV, era sacerdotisa da Veneficorum Secta.

Na mesma época, participavam das cerimônias da Secta o dr. D'Aquin, médico do Roi Soleil, e La Forest, cozinheira suspeita de ter envenenado Molière com peçonha do *Bufo marinus*, variedade de sapo venenoso trazida da Flórida por um frade espanhol. A narrativa consta das anotações precisas do mago alemão Reuben von Zecken.

Em 1788, mais de cem anos depois, os médicos de Jorge III, da Inglaterra, atribuíram a primeira crise de loucura do rei a um tóxico revigorante administrado às escondidas pelo barbeiro dele, Edgard Manfield, oitavo conde de Manchester. O conde escafede-se, mas em buscas levadas a efeito em seus domínios na província descobrem-se frascos com substâncias desconhecidas que exalam um odor acre, quase insuportável. Um desses líquidos é adicionado à ração de um mastim napolitano, e o canzarrão morre instantaneamente.

Num espaço escamoteável na biblioteca do conde, encontram-se vestes cerimoniais que, segundo a ocultista russa Tatiana Grotenski, pertenciam à Secta.

Durante todo o século XIX, desaparece qualquer menção à Veneficorum Secta. O cardeal Puzzolli, prócer do Ufficio di Metafisica do Vaticano nos idos de 1898, declara que, realizada escrupulosa devassa, pode afirmar que essa seita não passa de uma lenda mediévica, tão fantasiosa quanto a do Santo Graal. O mito teria sido perpetuado através dos tempos por hereges mal-intencionados.

No entanto, em 1920, na França, quatro anos antes dos assassinatos dos imortais no Brasil, acontecimentos escabrosos parecem desmentir as revelações dogmáticas do cardeal. Os crimes hediondos de um homenzinho calvo, magro e de barbas longas escandalizam o mundo civilizado. Henri Désiré Landru, um escriturário de aparência insignificante, é culpado pelo envenenamento de dez mulheres e um menino. Landru fica conhecido como o Barba Azul. O processo leva dois anos, e personalidades como a escritora Colette, o príncipe herdeiro da Pérsia e a princesa de Mônaco assistem ao julgamento. Outro que comparece às audiências é um obscuro cozinheiro e pasteleiro vietnamita chamado Ho Chi Minh.

Ho Chi Minh é freqüentador assíduo do Grand Guignol, o famoso teatro de terror de Paris, em Montmartre, e considera que os crimes de Landru comprovam sua teoria de que os horrores reais do mundo capitalista superam a ficção.

Tamanha é a popularidade do assassino que, nas eleições, quatro mil eleitores preenchem as cédulas com o nome dele. Os corpos das vítimas jamais foram encontrados, e Landru leva seu segredo para a guilhotina. Antes, porém, da lâmina cair e decepar-lhe a cabeça, o frio multicida sussurra no ouvido do carrasco Fernand Moreaux: "*Impia sub dulci melle venena latent*". A frase, incompreensível para o verdugo, era a senha cabalística pela qual os seguidores da Secta se identificavam. Significa "Sob o doce mel escondem-se venenos terríveis".

"*Impia sub dulci melle venena latent, impia sub dulci melle venena latent, impia sub dulci melle venena latent...*": era essa a cantilena sinistra que Veneficor, o último membro da Secta em atividade no continente, ressoava como uma ladainha.

O vasto gabinete, meticulosamente montado no sótão, faria inveja ao envenenador *Mester* da Secta, o húngaro Ferenc Csabay, que, em 1480, matou ou tornou inválidas mais de duzentas e trinta pessoas.

Uma estante alta sobre a bancada de trabalho exibia vasos retorcidos de formatos excêntricos, designados por nomes exóticos como "alguidar gêmeo", "ovo filosofal", "ovo dentro do ovo", "pelicano duplo", "alambique cego", "alambique duplo", "vasilha ínfera" e "campana cucúrbita".

Perto da mesa, havia um grande caldeirão onde desembocavam duas serpentinas, as quais se ligavam a um funil inverso cuja borda mais larga cobria um forno de ferro e tijolos. O conjunto assemelhava-se a um antigo aparato de destilação.

Em destaque, no centro do recinto sombrio, um atril cercado de velas pretas sustentava um grosso volume que continha as escrituras profanas da bíblia negra dos envenenadores: a *Malignum opus*.

Um aparador revelava as páginas de revistas que o Envenenador recortara para confeccionar a mensagem cifrada. Ele se aproximou do forno e despejou a mistura pulverizada pelo pilão no tonel do *destillator*, onde borbulhava um líquido acinzentado de vapores fétidos.

Satisfeito com o resultado, Veneficor afastou-se do alambique, emitindo uma gargalhada tenebrosa e proferindo um grito desvairado:

— *Lascive factum*, Brás Duarte! Houve outra logo depois!

DA PÉROLA NA ORLA AO RUBI NO UMBIGO

O Copacabana Palace seria inaugurado durante as comemorações do Centenário da Independência, mas as obras só permitiram que o hotel fosse aberto ao público em setembro de 1923. O atraso não abalou o ânimo de Octavio Guinle, idealizador do empreendimento. Uma obra daquela envergadura não dependia de efemérides. Guinle brincava com os amigos, dizendo que o segundo centenário ele comemoraria da janela do seu quarto, na suíte B, onde fixara residência. A imponente construção em estilo neoclássico, a exemplo dos grandes hotéis dos balneários franceses, transformara-se na pérola sem jaça engastada na orla da praia de Copacabana.

Um código de dezoito itens demonstrava o zelo do empresário por seus hóspedes. Vale destacar cinco desses mandamentos:

- Não medir as atenções que dispensar a cada um pelas fortunas que aparentarem possuir.
- Não contradizer os clientes, atendendo-lhes sempre com amabilidade em suas reclamações.
- Qualquer que seja a importância das gratificações recebidas, julgar-se bem recompensado e agradecê-las de maneira respeitosa.
- Não demonstrar conhecimento das excentricidades dos clientes, que deverão passar despercebidas, sem manifestações de gestos, atos e palavras.
- Evitar surpreender qualquer conversação ou procurar conhecer detalhes da vida particular de um cliente.

O comissário Machado Machado, estudioso infatigável da natureza humana, confiava na tendência de alguns empregados de hotel à indiscrição, para que as duas últimas cláusulas não fossem respeitadas. Principalmente porque conhecia um dos *boys* do Copacabana Palace, o Fabinho, desde quando o rapaz trabalhara no Grande Hotel, no largo da Lapa, lá onde se hospedara o mortalíssimo imortal Belizário Bezerra antes de mudar-se para o Copa. Como outros senadores, Belizário morara por vários anos no luxuoso hotel, que ficava próximo ao palácio Monroe, onde funcionava o Senado Federal.

Fabinho era o típico factótum sonhado por todos os *concierges* de hotel. Suas relações ecléticas iam dos políticos do Congresso aos banqueiros de bicho, passando pelas cafetinas mais importantes da capital da República. Conhecia os pontos de jogo da cidade, dava-se com delegados, marginais, artistas, donos de *dancings* e alcoviteiros. Desmontava um motor de automóvel com a mesma facilidade com que trocava uma lâmpada. Príncipe na arte da pechincha, sabia quais farmácias vendiam a melhor cocaína Merck ou Park-Davis sem receita e que sorveteria preparava o melhor sorvete de manga. Certa vez, a fim de entrar como penetra num baile de *réveillon*, reformou sozinho, com agulha, linha e uma tesourinha de unhas, um *smoking* velho que ganhara de um hóspede bem mais alto e mais forte.

Além das ótimas gratificações que obtinha graças à sua simpatia natural, usava de estratagemas questionáveis para aprimorar seus rendimentos. Havia um gordo senador de Alagoas que, diariamente, mandava Fabinho comprar um quilo de *marrons glacés* na Sucre D'or, uma confeitaria caríssima na rua Visconde de Pirajá. A guloseima custava uma fortuna. O *boy* comprava apenas oitocentos gramas e embolsava a diferença. A artimanha só foi descoberta porque, um dia, o senador, desconfiado, pesou o saco com os *marrons* e viu que faltavam duzentos gramas. Interpelado, Fabinho respondeu sem vacilar: "Ué! Não tem um quilo? Como esse pessoal da Sucre D'or é ladrão, não, doutor?...".

Servia-se, amiúde, de artifícios pouco ortodoxos

ao realizar tarefas consideradas impossíveis. Fabinho foi, em verdade, o criador do "jeitinho".

Para o comissário, a mais valiosa qualidade daquele rapaz era o talento com que armazenava na memória informações que colhia ouvindo, sem se fazer notar, tudo o que diziam. Miúdo, de voz fina e de óculos, parecia uma criança inocente, a não ser fora do hotel, quando fumava seus amados charutos Corona, da Suerdick. O aspecto inofensivo tornava-o invisível para os hóspedes, que conversavam, sem pudores, sobre qualquer assunto na presença dele. Fabinho era a conexão perfeita entre os dois hotéis e o Senado. O policial lamentava que ele não fizesse biscates na Academia.

Machado Machado, com um pacote quadrado sob o braço, entrou no saguão do Copacabana Palace às sete e meia da noite e avistou seu mensageiro predileto passando um maço de dinheiro a uma senhora de idade que acabava de chegar. Ela separou algumas notas e as colocou na mão de Fabinho, que agradeceu, educado, guardando elegantemente a gratificação no bolso sem verificar a quantia. Acompanhou a dama até o elevador, despedindo-se com um sorriso cativante. Quando se virou, deparou com o comissário, que o observava dando uma longa tragada no seu cigarro.

— Excelência, mas que prazer! — cumprimentou. Era esse o tratamento que dispensava ao detetive. — É uma honra encontrar aqui, no meu novo local de trabalho, a mente dedutiva mais afiada da polícia — provocou, com ironia.

O Coruja resolveu entrar na brincadeira:

— Minha mente dedutiva está mais afiada do

que nunca. Quer ver? Aquela hóspede teve que sair e pediu que você fosse ao banco trocar um cheque. Quando ela voltou, você entregou o dinheiro, e ela, muito generosa, lhe deu uma bela gorjeta.

— Errou, Excelência. Não é gorjeta, é comissão. A veneranda adora jogar no bicho, e hoje acertou no milhar. Ela sonhou com uma vaca deitada no sofá da sala dizendo: "Mil e quinhentos... mil e quinhentos...", e o milhar deu na cabeça.

Como de hábito, o comissário riu das histórias do mensageiro.

Fabinho puxou Machado para um canto do saguão, longe das vistas do Karl, o alemão chefe dos *concierges*.

— Posso ser útil, Excelência?

— Como sempre, Fabinho. Sabe que estou investigando a morte dos acadêmicos?

— Sei. Os Crimes do Penacho.

Como o policial previra, o nome criado por Bodoque, no Lamas, havia sido usado pelos jornais.

— Exatamente. Agradeço tudo o que você puder me contar sobre o Belizário Bezerra.

— Ah, Excelência... uma perda muito sentida no hotel. Como diz a máxima hoteleira inventada aqui pelo seu criado, "quem melhor nos gratifica, por menor tempo fica".

— Ele era bom de gorjeta?

— Melhor impossível. O Karl, do *concierge*, só chamava o doutor Bezerra de Marajá Belizário. Gastador generoso. No cassino, ganhando ou perdendo, deixava uma ficha das grandes pros crupiês.

— Notou se ele andava preocupado?

— Não diria preocupado, mas volta e meia perguntava na portaria por uma pessoa que ia chegar de Pernambuco.

Machado concluiu que se tratava do guarda-costas. Depois indagou, baixando a voz:

— Mulherengo?

— E como! Casanova perto dele era broxa. Sabe a Pontes-Craveiro? — perguntou Fabinho, referindo-se à mulher do embaixador Caio Pontes-Craveiro. O casal também morava no Copacabana.

Pontes-Craveiro, milionário de família tradicional, conhecera a esposa nos famosos saraus de Laurinda Santos Lobo, que reunia artistas, intelectuais e a elite do Rio de Janeiro na sua mansão de Santa Tereza. O embaixador era quarenta anos mais velho do que Manuela, que, segundo as más-línguas, seria "da pá virada".

— A Pontes-Craveiro foi amante do Bezerra?

— Uma das muitas. Ele lhe deu de presente um rubi que ela usa preso no umbigo.

— Como é que você sabe disso?

— A camareira do terceiro andar me contou.

— E o marido?

— Manso. Ela inventou que achou a pedra no chão, quando passeava pelo Jardim Botânico...

— Mesmo os mais mansos têm seu dia de revolta. Que eu saiba, o embaixador está com setenta anos mas é de um gênio terrível.

— Pode ser, Excelência, mas o embaixador vivia paparicando o senador depois que ele foi eleito imortal. Parece que pretende entrar pra Academia.

— O embaixador Pontes-Craveiro quer entrar pra Academia?

— Quer sim, Excelência, e a vaidade amansa o mais bravio dos cornos... — filosofou o mensageiro.

Machado ponderou a informação, enquanto Fabinho deitava o olhar malicioso no jovem detetive.

— Já imaginou, Excelência, aquela mulher linda, nua, só com um rubi no umbigo?

— Prefiro nem imaginar.

O Coruja recordou-se do boato que envolvia Lauriano Lamaison, homem vigoroso e relativamente jovem aos sessenta e dois anos, e a embaixatriz. Depois calculou a média etária do resto dos membros da Ilustre Companhia.

— Será que ela chegou a cativar também os outros acadêmicos?

— Claro que não, Excelência. Os velhinhos não têm fôlego pra digerir aquele pitéu — respondeu Fabinho, verbalizando o pensamento do comissário. — Mas o embaixador sabe agradar os provectos. Cansei de levar presentes caríssimos lá no Petit Trianon.

— Pra quem?

— Pra todos. O que mais me impressionou foi uma cigarreira de ouro que ele deu pro doutor Aloysio Varejeira dias antes dele ser assassinado.

— Como é que você sabe que era uma cigarreira de ouro?

— Eu sempre finjo que o embrulho rasgou no bonde pra ver o que tem dentro...

O detetive lembrou-se da mensagem misteriosa que haviam enfiado por baixo da sua porta.

— Só mais uma coisa: já ouviu falar num tal de Brás Duarte? Tem algum hóspede com esse nome?

— Brás Duarte? Não, Excelência. E um nome desses eu nunca esqueceria.

— Por quê?

— Porque meu avô por parte de mãe ainda vive, e nasceu no bairro do Brás, em São Paulo.

Machado Machado não estava interessado na genealogia do mensageiro. Agradeceu as informações, passando para o rapaz a caixa de charutos Corona da Suerdick que trazia embaixo do braço.

— Que é isso, Excelência! Não carece — disse Fabinho. E, fazendo uma mesura exagerada, segredou:

— Acho que o Max Muchenot, um francês gabola que é crupiê-chefe no cassino, pode lhe dar mais informações interessantes sobre o doutor Bezerra. Uma noite, quando estava indo pra casa, vi os dois conversando dentro do carro do senador. De longe, parecia que estavam discutindo. Chamou minha atenção, porque eu pensei que, se o doutor Guinle visse aquilo, na hora botava o malandro na rua.

O comissário despediu-se e seguiu para o cassino. As histórias do esperto mensageiro eram sempre instigantes. A imagem de Manuela Pontes-Craveiro, nua, com um rubi cravado no umbigo, não lhe saía da cabeça.

76

FAITES VOS JEUX!

O cassino do Copacabana Palace abrira suas portas em janeiro, com um espetacular baile de gala. Não pôde funcionar antes, já na inauguração do hotel, porque a lei só permitia jogos de azar nas estações balneárias. O caso foi amplamente discutido nos jornais, pois havia provas de que, na fase de construção, as autoridades assumiram com os investidores o compromisso de liberar seu funcionamento.

Octavio Guinle contratou o advogado Heráclito Sobral Pinto, moço incorruptível e católico devoto, para defender a causa. Heráclito comprovou, indignado, que o governo não honrara a palavra, e seu parecer a favor da abertura tornou lícito o jogo, fazendo girar a volúvel roda preta e vermelha da roleta. Sobral Pinto cobrou cinco mil contos de réis de honorários, quantia irrisória se comparada aos lucros do cassino logo na primeira noite.

Bem no fundo do salão de jogos, iluminado por imensos lustres de cristal da Boêmia, reinava Maximilien Casimire Felisbert Anglois de Muchenot, que, além de ser o chefe, distinguia-se dos outros crupiês pela elegância. Parecia mais um *habitué* do que um funcionário, com o *smoking* bem cortado valorizando seu corpo atlético. Rosto talhado à faca, impecavelmente escanhoado, e cabelos louros completando o porte apolíneo, lá estava ele, príncipe incontestável dos domínios da roleta.

— *Faites vos jeux, mesdames et messieurs, faites vos jeux!* Senhoras e senhores, façam o jogo!

Muitas vezes, de madrugada, quando os jogos se encerravam, sentava-se à comprida mesa da cozinha para jantar com os garçons e os crupiês e, após quatro doses de Calvados, costumava bazofiar, asseverando que seu ancestral Anglois de Muchenot era nobre e participara da Primeira Cruzada com Godefroi de Bouillon, duque da Basse-Lorraine. Gabava-se de que, mais tarde, durante a Guerra dos Cem Anos, outro antepassado, Aubert de Muchenot, lutara ao lado de Joana d'Arc como lugar-tenente de Gilles de Rais. Passava, então, a narrar a história do abominável Gilles, barão de Rais, que, terminada a guerra, praticava rituais de magia negra no castelo dele na Bretanha, tendo eventrado mais de oitocentas crianças para masturbar-se sobre suas entranhas. E Max terminava sempre da mesma forma, contando como o avô, baronete de Vauvray, suicidara-se depois de perder a fortuna da família jogando bacará em Monte Carlo.

Os ouvintes fingiam acreditar, entediados pela repetição monótona do falatório. Max só não esclarecia por que chegara ao Brasil a bordo do *Massilia* como camareiro da primeira classe, onde oferecia préstimos galantes a mulheres ricas e solitárias, mediante disfarçadas gratificações.

— *Faites vos jeux, mesdames et messieurs!* Senhoras

78

e senhores, façam o jogo! — repetia Maximilien, com sotaque glamouroso, prestes a lançar na roleta a pequena esfera de marfim.

Uma senhora grávida de oito ou nove meses inclinou-se sobre o pano verde e efetuou sua aposta. O crupiê ao lado de Max sorriu e brincou, demonstrando que a jogadora era uma cliente habitual:

— Esse menino ainda vai nascer no 27, dona Mercedes...

Machado Machado aproximou-se de Maximilien e identificou-se, puxando do bolso a carteira que raramente mostrava:

— Eu queria lhe fazer algumas perguntas.

Muchenot passou o rodo de recolher fichas às mãos de um colega e levou o comissário para a saleta onde os funcionários descansavam durante o rodízio. Apontou uma cadeira para ele e sentou-se a cavalo em outra, ficando frente a frente com o policial. Puxou um grosso cigarro de fumo negro do maço de Gauloises, acendeu um e ofereceu a Machado:

— Fuma?

— Obrigado, prefiro dos meus — agradeceu o comissário, acendendo um Cairo.

— Então, *commissaire*? Acha que sou o assassino dos escritores? — lançou Max, irônico, com uma baforada pesada.

— Parece que todo o Rio de Janeiro sabe o que eu estou investigando.

— *C'est normal.* Saiu nas primeiras páginas dos jornais. O senhor está tão famoso quanto Fantômas — continuou Muchenot, no mesmo tom, referindo-se a um notório anti-herói dos folhetins franceses de mistério.

O detetive achou que era hora de interromper as trivialidades e retrucou, ríspido:

— Você foi visto discutindo com Belizário Bezerra no carro dele.

A afirmação pegou Maximilien de surpresa.

— Quem lhe disse isso?

O comissário não se deu o trabalho de responder, e prosseguiu:

— Qual era a discussão?

— *Commissaire*, quando dois homens de diferentes classes sociais discutem à noite, escondidos dentro de um carro, e um deles é francês, *cherchez la femme...*

— Está me dizendo que brigavam por uma mulher? — perguntou, desconfiado, o comissário.

— Brigar é um pouco forte. Inclusive porque o senador Belizário Bezerra era um dos homens mais influentes do país e hóspede do hotel. Eu sou um humilde empregado. Só pedi, com educação, que o senador se afastasse da mulher que eu amo. Ele riu na minha cara! Na hora, fiquei... não sei como se diz em português, *déboussolé*.

Machado inventou a tradução:

— Desbussolado? Sei, sem bússola, perdeu o norte, ou seja, desnorteado.

— *Exactement*. Fiquei desnorteado. Claro que não chorei pela morte dele.

— Não sabia que os franceses podiam ser tão ciumentos. Quem é ela?

— Uma moça da minha terra que eu conheci no cassino de Deauville e que reencontrei aqui, por acaso. Agora ela me despreza — explicou Max, o olhar transfigurado, ao lembrar-se da mulher.

O policial percebeu um misto de ódio e tristeza na expressão do crupiê. Repetiu a pergunta:

— Quem é ela?

— Uma atriz. — Maximilien deu um sorriso amargo. — Quando eu digo atriz, estou sendo gentil. Não passa de uma *demi-mondaine, commissaire*. O senhor provavelmente a conhece de nome: Monique Margot.

Machado, que estava no meio de uma tragada, quase engasgou, e pigarreou, disfarçando. Não convinha que o francês ciumento soubesse que ele conhecera Monique no sentido bíblico.

— Você e Belizário nunca se encontraram fora do hotel?

— Claro que sim. Às vezes, na quinta-feira, no chá da Academia Brasileira de Letras.

Dessa vez, Machado engasgou de verdade.

— Na Academia? O que é que você vai fazer na Academia?

— O senhor não sabe? Pensei que estivesse me procurando por isso. Na minha folga aqui no hotel, às quintas-feiras, eu trabalhava no Petit Trianon. Eles adoravam ter um legítimo *majordome* parisiense servindo o chá. Quando me viam, ficavam ali, sonhando que estavam na Académie Française, ao lado de Clemenceau e Anatole France... — debochou o crupiê.

— Você disse que trabalhava no Petit Trianon. Não trabalha mais?

— Infelizmente não, *monsieur le commissaire.* — Fez uma pausa, e hesitou antes de continuar: — Vou parecer suspeito, mas é melhor dizer tudo, porque o senhor vai acabar descobrindo. Fui despedido por causa do Aloysio Varejeira. Aquele *canaille*!

O nome da segunda vítima aguçou os sentidos do detetive.

— O que aconteceu?

— Ele me acusou de ter roubado sua cigarreira de ouro. Fui posto na rua na mesma hora!

O Coruja lembrou-se do régio presente oferecido pelo embaixador.

— Uma injustiça dessas me deixaria com vontade de matar.

— Que injustiça? Eu roubei mesmo.

— Roubou?

— Claro! Um homem tão avarento não podia apreciar uma obra de arte como aquela. Mas devolvi. Acredita que, mesmo assim, me mandaram embora? O único que me defendeu foi Euzébio Fernandes. Disse que todos merecem uma segunda oportunidade. Não adiantou nada.

Apesar das circunstâncias, não havia provas maiores da participação de Maximilien nos assassinatos. Machado ficaria atento às atividades dele, mas, naquele momento, deu por encerrada a entrevista.

— Obrigado pelo seu tempo. Só lhe peço que não se afaste do Rio, porque é provável que voltemos a conversar.

— Com prazer, *commissaire*, mas pode ter certeza de que não tenho nada a ver com esses crimes. O veneno é a arma dos covardes. Eu prefiro lidar com meus desafetos frente a frente, olho no olho, de espada na mão, como meus antepassados — vangloriou-se Max.

— Os duelos estão proibidos desde o século XIX.

— Talvez, mas dois cavalheiros sempre encontram lugares escondidos onde podem lavar sua honra ao amanhecer — declarou, enigmático, Muchenot.

O comissário decidiu testar a bravata do francês:

— Quer dizer que você sabe esgrimar?

— Espada, sabre, florete: pode escolher, *commissaire...*

Cansado de treinar com os mesmos adversários, o policial resolveu convidá-lo para um encontro na sala D'armas do mestre Ruggiero Buonaventi. O crupiê entusiasmou-se:

— Ótimo, não sabia que o senhor era um aficionado! Agora, se me dá licença, preciso voltar à roleta.

Antes de desaparecer pela porta do salão, bradou:

— *Au revoir, commissaire,* e até a próxima estocada!

O ESTOJO DA JÓIA

O comissário Machado Machado tentara aprender a guiar automóveis, mas não conseguira se acostumar à mudança de marchas. A engrenagem dos carros era uma intrincada estrovenga criada para levá-lo à loucura. Essa inaptidão acabou propiciando ao detetive um encontro tão imprevisto como auspicioso. Enquanto esperava um táxi na entrada do Copacabana Palace, tendo visitado o hotel e o cassino, viu chegar uma limusine Rolls-Royce Silver Ghost. O motorista, um oriental fardado, saltou do carro e sinalizou discretamente ao porteiro, que, por sua vez, acenou de forma quase indistinguível para o *hall.*

Segundos depois, uma figura esguia, envolta num vestido longo de cetim verde, dirigiu-se para o carro com passadas lânguidas. Seu andar lembrava a leveza dos felinos antes do bote. A brisa fresca da praia agitava-lhe os cabelos negros, cacheados, e a maciez do tecido moldava as curvas de um corpo que se anunciava perfeito. Machado concluiu jamais ter visto mulher tão esplendorosa. Era essa a impressão que causava nos homens a bela e sensual embaixatriz Manuela Pontes-Craveiro.

Machado Machado, cuja perseverança rivalizava com a audácia, aproximou-se, afastou o motorista com o cotovelo e, antes que o oriental, surpreso, pudesse reagir, pôs-se na sua frente, abrindo a porta traseira do automóvel. Numa reverência exagerada, usando a palheta como se fosse o chapéu emplumado de um mosqueteiro curvando-se diante da rainha, exclamou:

— Se a embaixatriz Pontes-Craveiro me permite...

Os olhos cintilantes da pantera percorreram o atrevido e aprovaram seu jeito displicente. Manuela sorriu, divertida.

— Valha-me Deus! O D'Artagnan dos trópicos!

— Na verdade, *madame*, hoje estou aqui na condição de Fouché — respondeu o detetive, referindo-se ao temível chefe de polícia da Revolução Francesa. — Tenho que lhe fazer umas perguntas sobre o caso que estou investigando. Sou o comissário Machado Machado.

— Não precisa repetir.

— Não repeti, *madame* — explicou o policial, fingindo-se contrafeito. — É assim mesmo. Nome: Machado, sobrenome: Machado. Culpa do meu pai, que idolatrava Machado de Assis.

Manuela Pontes-Craveiro riu-se da própria gafe. Seu riso era dionisíaco, devastador.

— Perdão, comissário. — Entrou no carro e sugeriu: — Vou a uma recepção na embaixada britânica, em Botafogo, representando meu marido. O pobrezinho está de cama, com uma crise de gota. Se quiser, pode me acompanhar até lá. Nunca fui interrogada pela polícia, estou achando muito excitante.

O Coruja entrou no suntuoso veículo, e a embaixatriz acionou uma manivela, levantando o vidro escurecido que isolava o compartimento de passageiros. Pegou, então, no pequeno fone por meio do qual se podia falar com o chofer e recomendou:

— Yamamoto, não temos pressa. Dirija bem devagar. — E virou-se para Machado, explicando: — É meu criado de confiança. Conheci no Japão, quando meu marido foi embaixador em Tóquio. Ao contrário do que geralmente se diz, é um excelente motorista.

Manuela inclinou-se para pronunciar a última frase bem no ouvido do policial, deixando entrever, pelo generoso decote, a comissura dos seios.

— Então? Sou suspeita de algum crime pavoroso? — perguntou, provocativa.

— A embaixatriz só conseguiria matar alguém de paixão — respondeu Machado, sedutor. E acrescentou: — Ou levando ao suicídio algum pobre infeliz por um amor não correspondido.

Manuela suplicou, sorrindo:

— Vamos deixar a embaixatriz de lado, me chame de Manuela. O que é que esta humilde criatura pode fazer pela polícia?

Machado tomou coragem e disse, circunspecto:

— Soube da sua amizade pelo senador Belizário Bezerra, morto em circunstâncias trágicas.

— Trágicas? Eu diria tragicômicas. — Deu uma gargalhada: — Morrer entufado naquela fantasia...

Machado Machado queria chocar-se com o comentário, mas a beleza daquela mulher estupenda apagou qualquer cerimônia, e ele riu com ela. Viu que não conseguiria levar adiante a conversa por muito tempo.

— Por acaso já ouviu falar em Brás Duarte?

— Brás Duarte? Não. E tenho certeza de que o Caio também não.

Por dever profissional, o Coruja ainda tentou:

— Sabe de algum motivo que pudesse levar ao assassinato do senador?

Manuela aproximou-se mais, o rosto quase colado no ouvido dele, e segredou:

— Sei. Um motivo sério. Belizário era péssimo amante. Eu adoraria saber se você corre risco de vida pela mesma razão...

Machado deu por encerrado o interrogatório. Beijou a embaixatriz, sorvendo-lhe os lábios úmidos e macios, enquanto fazia deslizar o cetim do vestido. Manuela retribuía, a língua quente provocando-lhe o desejo, nessa altura, incontrolável. Não usava nada por baixo. O detetive arrancou o paletó, tirou o incômodo coldre de ombro que aninhava o inseparável Colt, deitou fora as algemas no chão do carro, livrou-se do que restava de suas roupas, e em menos de um minuto os dois faziam amor, entrelaçados sobre o extenso banco de couro. Manuela gemia de prazer, e Machado prolongava-lhe a lascívia, sugando, com a boca trêmula de gozo, cada centímetro daquele corpo magnífico.

Finalmente saciados, vestiram-se depressa e em silêncio, pois o carro aproximava-se do seu destino. Pelo fone, a embaixatriz pediu que Yamamoto encostasse a limusine para o Coruja descer. Não convinha que ele saltasse em frente à embaixada britânica.

Manuela baixou o vidro e deu-lhe um último beijo, fugaz, pela janela. Quando terminava de ajustar o vestido no corpo suado, percebeu que, durante o sexo selvagem, o famoso rubi, prêmio sensual que lhe enaltecia o ventre, desaparecera do seu umbigo. Procurou, sem sucesso, a pedra preciosa no assoalho do automóvel. Perguntou ao policial, enquanto o Rolls-Royce prateado se afastava:

— Machado, o rubi! Você viu o rubi? Não consigo achar!

O comissário Machado Machado gritou de volta, encabulado:

— Perdão, amor. Acho que engoli.

MACHADO MACHADO NA CASA DE MACHADO

O comissário pensou na emoção que seu pai, o modesto escrivão Rubino Machado, sentiria ao vê-lo entrar na Casa de Machado de Assis. Mesmo que ali entrasse, não como imortal, mas como detetive. A admiração de Rubino pelo escritor beirava o fanatismo. Ao policial não incomodava que o alumbramento paterno tivesse convergido para a pia batismal. Seria eternamente grato ao pai por ter lhe suscitado o gosto pela leitura.

Machado telefonara comunicando a visita, e foi recebido, ao chegar na hora do chá, pelo simpático escritor Leonardo Feijó, por ser ele, aos sessenta anos, o benjamim da Academia. Além disso, constava da sua obra uma brochura sobre o famoso Crime da Mala, ocorrido em São Paulo, em 1908, quando Miguel Traad, um imigrante árabe de Beirute, estrangulou e esquartejou o patrão, colocando o corpo retalhado numa mala forrada de zinco, com a intenção de lançá-lo ao mar. Na opinião dos colegas de Feijó, o livro aproximava-o do comissário. Leonardo vestia-se com apuro, permitindo-se apenas contrastar o sóbrio terno preto com um colete de brocado lilás. Ele estendeu a mão, saudando o detetive:

— Ora, viva! Então, temos Sherlock Holmes no Petit Trianon! Conceda-me o privilégio de atuar como doutor Watson.

— Quem dera o verdadeiro Sherlock tivesse contado com um Watson tão talentoso. Seu trabalho sobre o Crime da Mala é um dos meus livros de cabeceira — mentiu Machado, para quem a obra não era desconhecida.

— Bondade sua... — agradeceu o escritor, ruborizando. — E que sorte nos calhar um policial que sabe ler.

— Perdão?

— Digo, que gosta de ler... pra investigar esses crimes — Feijó completou, corrigindo o deslize.

Mordido pela gafe, Machado deu o troco:

— Sou obrigado a confessar esse vício medonho. Leio tudo o que me cai nas mãos, do patrono desta Casa ao pessoal da Semana de Arte Moderna. Meu gosto é bastante eclético: adoro Eça e Lima Barreto, Augusto dos Anjos e Oswald de Andrade. Também não perco as aventuras de Reco-Reco, Bolão e Azeitona na revista *O Tico-Tico*.

— Nem eu, nem eu. A revistinha é ótima! — traiu-se o acadêmico.

— Ando empolgado com um jovem português chamado Fernando Pessoa. Não é um poeta formidável?

Feijó, que nunca ouvira aquele nome, aquiesceu e conduziu o comissário pelo braço. À medida que atravessavam o saguão com piso de Carrara, ele ia apontando o lustre de cristal francês e destacando as peças raras de porcelana de Sèvres, como um guia de museu.

Ao passarem pelo Salão Francês, Leonardo, o bom cicerone, explicou:

— Aqui, antes da posse, o eleito fica sozinho, recolhido num momento de reflexão. Nessa hora ele avalia toda a sua existência.

O Coruja presumiu que para certos acadêmicos aquilo teria que ser um ato de contrição.

Quando chegaram ao salão de chá, Leonardo apresentou-o com uma tirada, no mínimo, de mau gosto:

— Comissário Machado Machado, aqui estão alguns imortais que ainda não morreram.

Uma sensação de desconforto perpassou pelo recinto.

O detetive jamais sonhara um dia encontrar igual aglomerado de notáveis. Coelho Netto, Ataulfo de Paiva, Antônio Austregésilo, Carlos de Laet, Miguel Couto, Graça Aranha e Rodrigo Octavio cochichavam a seu respeito em tom conspiratório, atarefados em volta das guloseimas.

Um pouco afastado, Félix Pacheco conversava em francês com Paul Lapin, imortal da Academia Francesa em visita ao Rio. Lapin tornara-se célebre escrevendo sobre esoterismo, e garantia a Pacheco, que era diretor do Gabinete de Identificação, ter conhecido o conde Saint-Germain pessoalmente, em Paris. Tratava-se de um alquimista que pertencera ao círculo íntimo do rei Luís xv, da França. Paul afirmava que o conde alcançara a imortalidade, não a literária mas a verdadeira, por meio da Pedra Filosofal. Segundo ele, Saint-Germain completaria duzentos e catorze anos em agosto. O poeta concedia-lhe ouvidos céticos.

— Pois é. Pena que na época ainda não existisse a datiloscopia...

Machado notou que o poeta pernambucano Euzébio Fernandes, protetor de Belizário, e Lauriano Lamaison, com quem pretendia conversar, não estavam presentes.

Pouco a pouco, apresentando desculpas distintas, os acadêmicos foram deixando o salão. A visita do

Coruja causava desconforto. Finalmente, ficaram ali apenas Machado e Leonardo Feijó, bebericando o chá, e, na mesa ao lado, os historiadores Alfredo Olívio e Emengardo Villela, discutindo entre os petiscos. O policial não pôde deixar de ouvir um trecho da conversa:

— Então negas o talento dele? Negas?

— Pra mim, quem tinha razão era Emílio de Menezes. O Emílio dizia que o Medeiros era como prédio de avenida: muita frente e pouco fundo — declarou Alfredo Olívio, citando o poeta satírico.

— Balela!

— Balela nada! Essas estrofes do hino são estrambóticas, chegam a ser ridículas. Por isso é que dizem que o Brasil não tem memória! — quase gritou Alfredo Olívio.

Pelo pouco que escutou, o comissário deduziu que os grandes mestres divergiam a respeito do Hino da Proclamação da República, composto por Medeiros e Albuquerque, um dos fundadores da Academia. Leonardo entrou no assunto sem pedir licença:

— Vocês continuam falando da letra do hino?

— Eu continuo, porque não entendo como um historiador não perceba o absurdo dos versos — teimou Alfredo Olívio, irredutível.

Leonardo Feijó adorava se divertir com a arenga daqueles velhinhos. Ambos com oitenta e oito anos, eram os mais idosos da Ilustre Companhia, e a vitalidade que demonstravam levava a crer que seriam, de fato, imortais. Inseparáveis, provavam que os opostos se atraem: Emengardo Villela, magro e longilíneo, nariz adunco, vasta cabeleira aprumada sobre a testa larga; Alfredo Olívio, baixo e roliço. Pareciam a reprodução de Mutt e Jeff, uma dupla muito popular que aparecia nas tiras em quadrinhos dos jornais. Sem o saber, logo ganharam o apelido no Petit Trianon. Villela era o Mutt, e Olívio, o Jeff. Por princípio, os dois historiadores sempre tinham opiniões discordantes. Quando Emengardo Villela lançou o livro *Calabar, traidor de duas pátrias*, Alfredo Olívio rebateu, um mês depois, com *Calabar, o libertário injustiçado.*

Leonardo resolveu estimular a rixa entre os longevos e sugeriu, muito sério:

— Vamos deixar o nosso comissário Machado decidir quem está certo?

Os vetustos concordaram, mais por cerimônia em relação ao visitante do que por convicção. Villela falou primeiro.

— Eu argumentava que os versos do Hino da Proclamação da República são de uma beleza sublime. E destacava a altissonante estrofe do Medeiros:

Liberdade! Liberdade!
Abre as asas sobre nós!
Das lutas, na tempestade
Dá que ouçamos tua voz.

Depois da declamação entusiasmada do confrade, Alfredo Olívio revidou, irônico:

— Em primeiro lugar, não estou criticando a poesia. Quem sou eu pra fazer críticas ao grande Medeiros e Albuquerque — sorriu —, ainda que não consiga visualizar a Liberdade dando sua voz a ouvir?

Feijó tossiu para esconder o riso. Olívio continuou:

— Agora, como historiador, o que me dá vontade de rir são os versos seguintes:

Nós nem cremos que escravos outrora
Tenha havido em tão nobre país...

— Outrora!? Que ridículo! Como "outrora", se a República foi proclamada em 1889 e a escravidão só acabou um ano antes? Nunca ouvi falar que um ano antes fosse "outrora". Ha! Ha! "Nós nem cremos que escravos outrora tenha havido em tão nobre país"? Cremos, sim! Ah, se cremos! E como cremos! Pelo menos eu creio, porque não sou um historiador gagá e *détraqué...* — finalizou o professor, afastando-se às gargalhadas.

Como se obedecesse a uma marcação teatral, Villela saiu bufando pelo lado oposto. Não esperaram para saber o parecer do detetive. O anfitrião tranqüilizou Machado, rindo:

— Não se preocupe. Daqui a pouco, Mutt e Jeff estarão às turras por outro motivo qualquer.

— É verdade que, uma vez, quase chegaram às vias de fato na casa do presidente da Academia? — perguntou o comissário.

Leonardo riu, recordando o episódio:

— É verdade, mas faz tempo. O Renan Vieira convidou os dois pro seu aniversário. Aconteceu um esbarrão entre eles, o Olívio tomou como ofensa e atirou um copo desse tal guaraná Champagne no rosto do Villela. Foi a maior confusão. A briga vinha de longe, desde que Emengardo declarou que o Alfredo era um historiador secundário. Olívio respondeu dizendo que, se ele era secundário, o Villela era primário. Depois, a muito custo, fizeram as pazes, mas a pendenga recomeça sempre que se encontram.

Feijó deitou novamente chá nas duas xícaras.

Lendo uma certa decepção nos olhos fundos do Coruja, indagou, solícito:

— Será que consigo lhe ajudar de alguma forma?

— Na verdade, eu procurava pelo Euzébio Fernandes e por Lauriano Lamaison.

— Infelizmente, nenhum dos dois passou por aqui hoje. Euzébio nem sai de casa. Anda muito abatido pela morte do Belizário Bezerra. O coitado fez um esforço enorme pra conseguir eleger o amigo conterrâneo, e deu no que deu. Longe de mim falar mal de um colega, mas ali havia conveniências que iam muito além da literatura. O poder político e financeiro do Belizário era enorme. Em Pernambuco, então, mandava e desmandava.

— Quer dizer que o interesse de Euzébio Fernandes nesse pleito ia além da literatura?

— Claro! O pobre do Euzébio anda à míngua. Mesmo sendo viúvo, o estipêndio que recebe como funcionário da Light mal dá pro sustento dele e da filha. O Belizário prometeu-lhe uma sinecura como representante de Pernambuco, aqui no Rio.

— Daí o empenho — concluiu Machado.

— Não me interprete mal. Euzébio é um homem de bem. — Sorriu, lembrando-se de um fato divertido: — Por causa dessas mortes, ele anda atormentado por um pesadelo. Tudo em função do enterro.

— Enterro de quem?

— Dele mesmo. O Euzébio engordou muito.

— Não estou entendendo — disse o detetive, intrigado.

— Há alguns anos tivemos uma complicação devido à obesidade de um acadêmico, o romancista Aparício Coimbra. Lembra-se dele?

— Claro que sim — respondeu o Coruja, que lera *O mel das mariposas*, uma novela enfadonha a respeito do romance de um marinheiro dinamarquês com uma índia pataxó.

Uma parte do livro fora escrita em tupi. Era a parte mais compreensível. De tão gordo, apelidaram Coimbra de Moby Dick, a Baleia Branca. Completando o visual exuberante, Moby ocultava sua calvície com uma cintilante peruca cor de azeviche.

Leonardo continuou:

— Pois bem. Primeiro houve o imprevisto da peruca, que se recusava a permanecer no topo da cabeça. Aparício era vaidoso demais, não ia querer ser enterrado careca. Felizmente, o agente funerário, muito engenhoso, nos livrou da enrascada fixando o chinó no cocuruto com uma tachinha. Mas foi na hora de vestir-lhe o fardão que surgiu mesmo a dificuldade. Coimbra tinha engordado trinta quilos nos últimos dois anos. Nem o empenho de quatro papa-defuntos conseguiu resolver o impasse.

Machado partiu para a solução simplista:

— Enterraram ele de terno?

— Não. Alguém teve a brilhante idéia de chamar o nosso inventivo alfaiate Camilo Rapozo, que acabou com o problema num instante. Ele usou a tesoura com o talento de sempre: abriu de cima a baixo a parte de trás da roupa. Aí, foi só vestir a frente e enfiar o resto por baixo do corpo, como se faz com o lençol num colchão. Foi fantástico! Nunca vi um fardão tão bem esticado. Se pudesse ter se visto, o Moby descansaria orgulhoso. Ficou nos trinques.

O policial riu, visualizando a cena.

— E Euzébio Fernandes tem medo de que lhe aconteça a mesma coisa.

— Nós brincamos muito por causa disso. — Leonardo mudou de tom: — Euzébio é uma unanimidade na Academia. Todos gostam dele, como poeta e como pessoa. A verdade é que, apesar do prestígio e poder político do Bezerra, se não fosse a cabala do Euzébio, ele não se elegeria. Provavelmente ainda estaria vivo — completou.

— O senhor está sugerindo que o assassinato tem a ver com a Academia?

— Eu não estou sugerindo nada, comissário. Estou pensando em voz alta.

— E quanto ao Lauriano Lamaison?

— Está em São Paulo, cuidando de negócios, sabe-se lá de que tipo de negócios. Viajou logo depois dos enterros, mas volta pra recepção que vai haver no Hotel das Paineiras.

— Recepção?

— Então não sabe? É a festa de lançamento do concurso de projetos pra construção do monumento ao Cristo Redentor que vão erigir no Corcovado. Uma tarefa hercúlea. Os pessimistas dizem que é impossível. — Fez uma pausa e comentou, sardônico: — O Lauriano foi convidado pra discursar, na ocasião, sobre as aves que lá gorjeiam... Espero que tenha contratado alguém que entenda do assunto pra escrever o discurso.

— Pensei que ele fosse especialista. Não foi com um livro sobre pássaros que entrou pra Academia?

Machado e Feijó achavam-se sozinhos no salão. Mesmo assim, o escritor baixou a voz, temendo os ouvidos das paredes:

— É a versão oficial, mas o que se comenta nos bastidores é que o autor de *Tratado ornitológico sobre a fauna alada do Brasil* é um escritor de aluguel. Dizem que o Lamaison não consegue distinguir um pardal de um cuco de relógio.

— Falando em pássaros, o senhor tem idéia do que isto significa? — O detetive mostrou-lhe o bilhete cifrado.

— Não faço a menor idéia. Não sei que passarinho é esse, e nunca ouvi falar em Brás Duarte — declarou, intrigado, o acadêmico.

O Coruja guardou a mensagem no bolso e acendeu um cigarro, o que levou Leonardo Feijó a exibir seu belo cachimbo Dunhill. Enquanto socava o fumo no fornilho, avisou discretamente:

— Se é por causa do pássaro que está interessado no Lamaison, garanto que é tempo perdido.

— Não é por isso. É que descobri que, sem ele, o doutor Aloysio Varejeira não estaria na Academia. Muito menos como candidato único.

— Ninguém se atreveria a contrariar o Barão Amarelo. Aquele chantagista tem arquivos detalhados contendo os podres de todo mundo. Usa qualquer coisa: da infâmia e da calúnia aos pecadilhos de infância, no colégio. — Leonardo pareceu pouco à vontade, como se recordasse os tempos passados no internato. — Até eu, que sempre achei o Varejeira uma figura detestável, votei nele. Aqui entre nós, confesso que foi o único voto de que me envergonho. Aquele mão-de-vaca desprezível não merecia entrar no Petit Trianon. Ainda bem que entrou por uma porta e saiu pela outra... — acrescentou, sem resistir à maldade.

A sinceridade do escritor agradou ao detetive.

— Quer dizer que, além de ser ele o único candidato, a votação foi unânime?

— Não, comissário. Houve uma voz contrária, sim, o que deixou Lamaison exasperado. Quase não conseguia esconder sua raiva. Pior que uma abstenção, teve um voto em branco. Um voto em branco que lavou a nossa alma. Lauriano considerou aquilo uma ofensa pessoal, mas foi obrigado a disfarçar e engolir o desaforo.

— Quem cometeu essa audácia de lesa-majestade contra o Barão? — ironizou o policial.

— O padre Ignacio de Villaforte. Mesmo que Lauriano saiba qualquer detalhe escuso sobre a vida do padre, ele é covarde; não tem coragem de investir contra a proteção da batina.

Machado Machado ouvira falar do padre Ignacio. Era um homem influente, pois sua paróquia reunia a nata da sociedade carioca. Conhecia alguns trabalhos de De Villaforte, que, além de escrever monografias extensas sobre a arte sacra barroca do século XVII, dedicava-se à poesia romântica. Os versos eram de uma ousadia sensual e, muitas vezes, perturbadora; por certo desgostariam o clero conservador. Resguardando-se da censura canônica, ele assinava os sonetos com um pseudônimo que homenageava um personagem de Oscar Wilde. Essa precaução de conveniência servia apenas para evitar atritos com a Cúria, que fingia desconhecer o lado mais voluptuoso da obra do padre, porém todos sabiam que Ignacio de Villaforte se escondia sob o *nom de plume* de Dorian Gray.

— O padre esteve aqui hoje?

— Que nada. Claro que, sendo da Casa, é ele quem vai rezar a missa de trigésimo dia. Anda muito atarefado com os preparativos.

— Mas faltam mais de duas semanas...

— Bem se vê que o senhor não sabe o trabalho que dá uma missa solene pra despachar dois imortais. O padre Ignacio de Villaforte gosta de cuidar pessoalmente de todos os detalhes.

— Vou fazer uma visita ao padre — resolveu o detetive.

Leonardo Feijó não pôde deixar de rir.

— Comissário, desse jeito, visitando tantos acadêmicos, vou começar a desconfiar que o senhor é candidato à Academia...

ALFAIATARIA DEDAL DE OURO

PROVA E PROVAÇÃO

O segredo mais bem guardado do padre Ignacio de Villaforte, o opróbrio que o atormentava, a revelação que ele apenas rumorejava constrito, em confissão, era o capitalíssimo pecado da luxúria.

Na alma daquele corpo alto, adelgaçado, de figura ascética, travava-se constante batalha entre a castidade e a concupiscência. Seus sonhos, interrompidos por poluções noturnas, eram povoados de súcubos e íncubos, demônios mitológicos que o subjugavam, levando Ignacio a orgasmos infindáveis em conjunções pecaminosas.

No dia seguinte, quando acordava banhado em suor, ajoelhava-se, orando em latim, e, como penitência, fustigava as costas nuas com um látego de couro cru, pedindo perdão pela culpa que não tinha. Ignacio pagava pela conseqüência irreprimível da sua natureza.

Cônscio de quão perigoso seria expor-se a essas tentações, De Villaforte permanecia casto. Exorcizava os devaneios que lhe açulavam o espírito na poética rica em erotismo que assinava como Dorian Gray.

Entretanto, vulnerável como todos às fraquezas da carne, administrava pequenos toques sutis e disfarçados, com suas mãos longas, a qualquer criatura que lhe atiçasse a libido. Os dedos finos, alvos como mármore, esquadrinhavam a pele do objeto de seu desejo, numa carícia lúbrica travestida em afago inocente.

Apesar desse zelo em mascarar a volúpia que o consumia, ele era vítima de uma perversão que ocultava até das oiças do seu confessor: o padre Ignacio de Villaforte sentia uma atração incoercível por anões.

Esse fascínio incontrolável transformava em tortura todas as visitas que fazia ao alfaiate Camilo Rapozo. Tortura esta compartilhada pelo Gnomo da Tesoura, como Ignacio gostava de chamá-lo com carinho. Cada ida ao provador se transformava numa peleja de gato e rato. Padre De Villaforte no ataque, e Camilo esquivando-se do assédio camuflado.

A favor do padre, há de se reconhecer que Camilo Rapozo era um anão de beleza excepcional. Descalço, media um metro e vinte e nove centímetros exatos, todavia seu corpo harmonioso, proporcional e de músculos bem torneados, primor de anatomia diminuta, já despertara paixões fulminantes em várias mulheres. Os ombros largos, o crânio raspado, os olhos puxados de oriental, a pele morena, típica dos meridionais, e a voz aveludada de barítono faziam lembrar o gênio da lâmpada de Aladim em miniatura.

Diversos eram os subterfúgios que o padre Ignacio de Villaforte inventava para freqüentar a alfaiataria — subir a bainha, descer as mangas de uma batina, afrouxar a cintura —, contudo, nessa sexta-feira, a visita tinha um propósito inadiável. Seria a última prova das vestes sacerdotais que o padre usaria na missa solene dedicada a Belizário Bezerra e Aloysio Varejeira.

Trajando a túnica de seda branca presa à cintura pelo cíngulo, a casula roxa e a estola púrpura bordada minuciosamente em fios de prata, trabalho que recordava a laboriosidade de um ourives, o padre Ignacio de Villaforte mirava-se, altaneiro, no espelho da cabine de prova. "Modesto pároco, sem dúvida, mas com porte de cardeal", pensou, satisfeito, cometendo o pecado da soberba.

— Sem falsa modéstia, Vossa Reverendíssima lembra Richelieu ou Mazarin — declarou Camilo Rapozo, exagerando no tratamento.

— Achas mesmo? O colarinho não está alto demais, meu caro Gnomo da Tesoura?

Como de hábito, o alfaiate fingiu ignorar o apelido que detestava.

— De modo algum. O pescoço de Vossa Reverendíssima é comprido, e o colarinho alto realça seus traços de fidalgo.

— Tens razão, meu querido Camilo. Incomoda um pouco, mas ofereço esse pequeno sacrifício pra me apresentar mais belo aos olhos do Senhor.

Logo que o padre começou a se desvencilhar dos paramentos para vestir a batina regular, Rapozo afastou-se do provador.

De Villaforte interpelou-o:

— Aonde vais? A cabine é muito estreita. Não me ajudas a mudar de roupa? Não sejas pudico; se estás com vergonha, eu te absolvo. *Ego te absolvo...*

Era esse o momento temido pelo anão. Durante a troca, sob o pretexto da exigüidade do espaço, De Villaforte sempre conseguia apalpar-lhe sub-repticiamente as partes pudendas. Fazia-o com perícia, de forma tão dissimulada, que a menor queixa do alfaiate provocaria uma reação indignada de Ignacio. "Anátema!", gritaria o padre, colérico. Restava a Rapozo esquivar-se da melhor maneira possível.

Terminada a prova e a provação, Camilo acompanhou, exausto, o padre Ignacio de Villaforte até a saída, esclarecendo:

— Mando entregar amanhã sem falta. Será que Vossa Reverendíssima poderia acertar o pagamento agora? Estou meio curto de dinheiro... — revelou, sem jeito.

— Meu amado Gnomo, nada me daria mais prazer! Só que eu jamais encomendaria essas vestimentas caríssimas. Tudo isso foi feito pra missa solene dos imortais. Então não sabias? A conta vai pra Academia e da Academia vai pro estado.

Assim dizendo, De Villaforte abriu a porta da alfaiataria. Aproveitando-se do momento de estupor do anão, girou nos calcanhares e estendeu a mão ávida num gesto rápido.

— É pra dar sorte... — desculpou-se o reverendo, dedilhando-lhe a virilha.

Ao voltar, acabrunhado, ao centro da loja, Camilo Rapozo achou um envelope dobrado que o padre Ignacio deixara cair propositadamente do bolso da batina. O sobrescrito informava numa caligrafia rebuscada:

> *Para meu adorado Camilo*
> *de*
> *Dorian Gray*

O alfaiate abriu o envelope e leu o conteúdo, que o deixou atônito:

> *Utopia inexeqüível*
>
> *Ao ver-te pequerrucho entre os gigantes*
> *Da nossa Immortal literatura,*
> *Olvido a ecclesiástica postura,*
> *E assolam-me chimeras delirantes.*
>
> *Teu dardo pétreo — arma esplendorosa! —,*
> *Armazenado em corpo tão pequeno,*
> *Repousa, acalentado, enorme e pleno,*
> *À espera de uma noite dadivosa.*
>
> *Ai, doce Apollo Liliputiano!*
> *Desperto como um fauno combalido,*
> *Purgado o gôzo luciferiano.*

Pois meu clamor, cerrado num gemido,
Confessa-te o pecado pubiano:
Meu sonho é com teu phallo intumescido!

Dorian Gray

Havia mais de meia hora que o padre Ignacio de Villaforte deixara a Alfaiataria Dedal de Ouro, e o almejado anão Camilo Rapozo, muso inconfesso, continuava aturdido. Lera e relera o soneto galante, de métrica impecável, e não sabia se o rasgava ou queimava.

Guardou o papel numa gaveta da escrivaninha. O poema subsistiria apenas como *souvenir*, já que, oficialmente, ninguém conhecia a identidade de Dorian Gray. Camilo sabia que só poderia queixar-se ao bispo no sentido metafórico. Além disso, embora não o reconhecesse, ficara um tanto envaidecido por acirrar tamanha paixão.

Acabava de fechar a gaveta quando a sineta da porta tocou avisando que o comissário Machado Machado entrava na alfaiataria. Ao avistá-lo, a primeira coisa que Camilo Rapozo, excelente profissional que era, logo reparou foi o corte de carregação do terno amarfanhado, comprado feito. Ignorando a repulsa que a roupa causava ao seu senso estético, o anão correu para receber o detetive.

— Desculpe, mas o senhor não é o famoso comissário Machado Machado?

— Sou tão pouco famoso que nem sei como o senhor me reconheceu.

— Não seja modesto, comissário. Por causa dos Crimes do Penacho, o senhor apareceu em todos os jornais. A propósito, não tome como ofensa, mas a alguém tão bem-apessoado calhava um traje melhor. Quando vi sua foto com esse terno, pensei que o meu jornal é que estava amarrotado.

Machado riu da chacota e rebateu:

— Meu salário de policial não permite que eu me vista no grande Camilo Rapozo. Também não se ofenda se digo grande. Estou me referindo ao seu talento.

O alfaiate fingiu não acusar o golpe.

— Então me permita a cortesia de lhe oferecer os meus préstimos.

O comissário tentou protestar, mas Camilo não aceitava recusas. Correu atarefado para as prateleiras e começou a abrir peças do melhor tropical inglês.

— Acho que um azul-marinho é o que mais lhe convém. Nem muito claro nem muito escuro. Serve pra qualquer hora do dia e da noite.

Empurrou Machado para a frente do espelho e jogou um pedaço do pano desenrolado sobre o ombro do detetive. Com a longa unha do dedo mínimo, marcava sulcos no tecido, delineando a posição de uma futura lapela.

— Olha que maravilha! Combina inclusive com a palidez do seu rosto.

— Seu Rapozo, não posso aceitar, porque não tenho condições de retribuir um gesto tão generoso. Vai ficar...

Camilo interrompeu o embaraço do comissário:

— Não adianta discutir, já está resolvido. O senhor não conhece a obstinação dos Rapozo. Nosso lema é: "Miúdos, porém testudos" — anunciou, e saiu correndo em busca da plataforma sobre rodas, de trinta centímetros de altura, especialmente confeccionada para que ele pudesse tirar as medidas dos clientes.

O Coruja impressionou-se com a agilidade e a força do homenzinho. Carregava os pesados rolos de fazenda sem demonstrar o menor esforço. A fita métrica, longa demais para o seu tamanho, pendia-lhe do pescoço, lembrando uma cobra morta. Voltou para junto de Machado usando a plataforma móvel como uma patinete, com destreza juvenil.

O policial ainda fez mais uma tentativa para rejeitar o presente:

— Seu Camilo, eu vim aqui pra me informar sobre os escritores assassinados, estou no meio de uma investigação importantíssima. Não vou ter tempo pra fazer provas de roupa.

— E quem disse que vai precisar de provas? Com esse corpo de manequim, garanto que faço o terno sem precisar de ajuste nenhum. O senhor não conhece a minha mestria. É fazer e entregar.

Enquanto o anão se esmerava em tirar as medidas de Machado, anotando cada uma na caderneta que trazia no bolso do colete, o detetive indagou sobre os imortais.

— O senhor é o famoso alfaiate dos fardões. Esses seus clientes, tão especiais... é muito difícil tratar com eles?

— De jeito nenhum, comissário. São como crianças grandes. Basta ter paciência — refletiu Camilo. — Só me incomoda um pouco a mania que eles têm.

— Que mania?

— Tanto aqui, como quando vou fazer uma entrega no Petit Trianon, todos passam a mão na minha cabeça. Dizem que é pra dar sorte. Uma superstição tola vinda do tempo dos bobos da corte. Na Academia, já virou tradição: basta eu aparecer que começam com a brincadeira. Parece que é de bom augúrio tocar numa pessoa como eu, que possui, digamos, uma imagem corporal singular...

Machado Machado apreciou a metáfora mimosa do simpático anão.

— E quanto aos que morreram?

— Infelizmente, sou obrigado a declinar de fornecer qualquer informação sobre os falecidos. Espero que o comissário não se aborreça. Sigilo profissional, entende? Nunca ouvi nada que pudesse ajudá-lo. Só pequenas vaidades, próprias dos cavalheiros idosos. Depois, o que se diz num provador de alfaiataria é tão secreto quanto o que é proferido num confessionário. Meu tataravô, António Gomes Rapozo, nem sob a tortura da Inquisição revelou qual era o tecido das ceroulas do marquês de Pombal — respondeu, exaltado, o orgulhoso artífice.

Foi tamanha a determinação de Camilo Rapozo que o Coruja desistiu da inquirição. A bem da verdade, diga-se que pouco se lhe dava descobrir a cor das cuecas dos imortais.

— Tem algum cliente chamado Brás Duarte? — disparou, à queima-roupa.

— Não, comissário. Nem sei quem é — informou o anão, agastado pela teimosia do detetive.

Machado avaliou que nada do que o alfaiate desvelasse valeria a insistência. Fez apenas um último comentário, no momento exato em que Camilo media a distância entre o cós e o final da braguilha:

— O padre Ignacio de Villaforte é cliente seu?

Num movimento involuntário, o anão afastou depressa as pequenas mãos, que percorriam, com a fita métrica, aquela área sensível.

— Quem? — perguntou Camilo, ganhando tempo.

— Padre Ignacio de Villaforte, da Academia. Às vezes, se assina Dorian Gray, quando escreve textos picantes, que o clero condenaria — sorriu. — Uma cautela inútil, porque todo mundo sabe que Dorian Gray é ele.

— Faço as batinas do padre Ignacio, sim. Estou até terminando os paramentos que ele vai usar na missa solene em intenção dos imortais. Aliás, veja que coincidência, o padre esteve aqui hoje, provando as roupas. Quase que os senhores se cruzam. Mas eu nunca soube que ele usava pseudônimo. Dorian Gray? Nunca ouvi falar — mentiu o alfaiate, quase enrolando a língua.

Machado notou o desconforto causado pelo nome de guerra do padre De Villaforte e deduziu, erradamente, que o acanhamento nada mais era do que um exercício de discrição de Camilo Rapozo sobre o cliente eclesiástico.

O anão guardou seus apetrechos de corte e costura, dando a conversa por encerrada. Guardou a caderneta com as anotações.

— Pronto. Tenho tudo o que é necessário pra lhe fazer um terno de dar inveja ao príncipe de Gales. Jaquetão. Um homem da sua estatura merece um jaquetão. — E, apontando para a caderneta, brincou, usando o jargão policial: — Trago no meu bolso o comissário Machado Machado medido e fichado.

O detetive deu-lhe um cartão com os telefones.

— Se, por acaso, se lembrar de algum incidente

que possa me ajudar, claro que respeitando inconfidências inúteis, que o incomodem, por favor, me ligue, a qualquer hora do dia ou da noite.

— O doutor pode contar comigo. Sempre respeitei as autoridades policiais.

Pelo tom untuoso do alfaiate, o Coruja não tinha esperanças de receber ligação alguma.

Sem prévio aviso, Camilo forçou o detetive a subir na plataforma sobre rodas. Abaixou-se e, retirando da lateral do objeto uma alça embutida presa a uma corda, transformou a plataforma num carrinho. Antes que Machado pudesse tentar descer, saiu correndo em direção à porta, puxando o veículo improvisado com o policial em cima.

— Se me permite, vou lhe proporcionar uma deferência que reservo somente aos meus visitantes insignes: uma saída triunfal!

Talvez nem houvesse intenção de zombaria na duvidosa homenagem prestada pelo sagaz anão-alfaiate Camilo Rapozo. Não obstante, o comissário Machado Machado, que odiava Carnaval, sentiu-se desfilando num carro alegórico dos Tenentes do Diabo.

QUEM É VIVO SEMPRE APARECE, ÀS VEZES MORTO

Era difícil associar a beleza das imagens que enfeitavam os túmulos do São João Batista com choros e ranger de dentes. As alamedas, traçando quadras com exatidão, criavam uma atmosfera de reflexão e serenidade.

Às onze horas dessa noite quente de Botafogo, a lua cheia banhava as estátuas sobre os jazigos, dando-lhes um plano de mistério. Dentre as mais belas esculturas, destacava-se a réplica do monumento de Saint-Cloud. O Ícaro alçando vôo, de braços abertos, fora oferecido pelo governo francês ao Pai da Aviação. Santos Dumont colocara-o na entrada do mausoléu da sua família.

A uma quadra desse sepulcro, em frente à campa de Belizário Bezerra, um homenzarrão ajoelhado quebrava a harmonia. O colosso de homem que invadira o campo-santo se debulhava em lágrimas, açoitado pelo remorso.

— Perdão, meu padim Belizário, perdão! A culpa é minha! Se eu tivesse chegado antes, não deixava essa desgraça acontecer! — lamentava-se, batendo a

cabeçorra contra o mármore do túmulo. — Meu padim deixou tudo acertado pra eu pegar o tal do aero-
plano, mas quem disse que eu tinha coragem? Vim mesmo é de navio, padim. Não sabia que ia acontecer essa
miséria.

O capanga aguardado por Belizário, Pedro Menelau, um cafuzo de um metro e noventa, de arcabou-
ço assustador, chorava como criança.

Usando suas ligações e o vasto poder que exercia
em Pernambuco, o senador Belizário Bezerra com-
prara, a peso de ouro, um lugar no Couzinet 70, um
avião trimotor da empresa Latécoère, que começava a operar um serviço de correio aéreo entre Natal e
Buenos Aires e não levava passageiros. Mediante um
generoso pagamento, não foi tarefa das mais compli-
cadas convencer o piloto, um francês com espírito de
aventura, a transportar um viajante escondido entre
as malas postais.

Só que Bezerra não contara com o pavor que se
apossou de Pedro Menelau diante da empreitada. Pedro daria a vida pelo senador, que, anos antes, livra-
ra-o do tiro mortal de um coronel de engenho prestes
a vingar o filho assassinado numa desavença banal. O
cafuzo transformara-se em seu anjo da guarda e obe-
decia-lhe cegamente. Até deparar-se com aquele descomunal pássaro metálico. Os três motores do aparelho já atroavam na pequena pista de terra batida.
Pedro sentiu que nada neste mundo de Deus o faria
botar os pés no monoplano.

— Moço, se essa estrovenga voa, é porque é arte
do tinhoso. Vou não. Pego o navio. Tem um ita saindo
amanhã cedo. Meu padim há de entender.

O francês, remunerado com antecedência, nem

insistiu. Alçou vôo, arrancando do chão o pujante Couzinet com sua carga epistolar.

Era esse o motivo que levava ao desespero Pedro Menelau. Convencido de que, se tivesse chegado a tempo, teria evitado a morte do protetor, ele soluçava, gemendo numa lamúria pungente.

O gigantesco capanga estava tão absorto em penitenciar-se pela morte inevitável que não notou o vulto a se esgueirar entre os túmulos às suas costas. Caso o fizesse, estranharia o chapéu enfiado fundo na cabeça e o longo sobretudo preto que o sinistro personagem vestia apesar do calor da noite sem brisa. Aquela figura ameaçadora mantinha a gola do sobretudo alta, como se quisesse esconder o rosto. Não contava com a presença de Menelau: viera em busca de outras láureas. Agora os olhos dele não desgrudavam da nuca de Pedro, ajoelhado no jazigo. Era alto e forte, mas sua envergadura nem de longe se comparava à de Menelau. Todavia, o pobre e fiel guarda-costas não pôde sequer esboçar a menor reação. O homem aproximou-se lentamente, sem fazer ruído, e saltou sobre a vítima indefesa. Houve apenas um breve cintilar, quando o brilho da lua incidiu no objeto metálico e cortante na mão do agressor.

Num gesto rápido, o assassino dilacerou a carótida de Pedro Menelau, convertendo-lhe a garganta em chafariz de sangue.

O comissário Machado Machado chegou ao cemitério logo de manhã cedo e, por um instante, pensou presenciar a ressurreição de algum hóspede do São

João Batista. A primeira coisa que viu foi um homem de costas levantando-se de uma cova. O homem virou-se para ele, e Machado percebeu que a versão moderna de Lázaro era o legista Penna-Monteiro. Todo um pelotão de guardas cercava a área, na rua General Polidoro. O local fora interditado. Decerto os defuntos não se incomodaram.

Entre dois túmulos profanados, de lousas abertas, via-se o corpo exangue de Pedro Menelau. Continuava ajoelhado, em *rigor mortis*, e o corte que lhe esfrangalhara a garganta criava a bizarra ilusão de uma gárgula humana. Da fenda sanguinolenta saía o mesmo bilhete enigmático, com um pássaro empoleirado no nome Brás Duarte.

Em torno da cabeça de Menelau, o sangue escuro, coagulado sobre a camisa, formava um macabro babador.

— Bela maneira de se comemorar o Descobrimento do Brasil — ironizou Gilberto de Penna-Monteiro, enquanto sacudia da roupa a terra úmida da cova.

— Então, Gilberto, já se sabe quem é? — indagou o detetive, apontando o genuflexo.

— Pelos documentos que trazia no bolso, se chamava Pedro Menelau. Solteiro, de pai desconhecido, nascido em Gameleira, na Zona da Mata, em Pernambuco. Ao que tudo indica, era o capanga que o Bezerra aguardava. Infelizmente, chegou tarde. Acharam o sujeito assim, morto de joelhos. Foi surpreendido, de costas, enquanto rezava pela alma do seu amado coronel.

— De costas?

— Claro. Viu o tamanho dele? Não ia morrer sem

reagir, e não há nenhum sinal de luta. Duvido que ele tivesse evitado o envenenamento do Belizário, mas o coitado devia estar tão cheio de remorsos que nem teve tempo de puxar a peixeira da cintura — explicou Penna-Monteiro, apontando a temida arma branca embainhada que pendia do cinturão de Pedro Menelau. — Pela rigidez do corpo, ele foi atacado por volta da meia-noite.

O Coruja mudou de assunto:

— E essas campas abertas? O que é que você fazia dentro da sepultura?

— Guardei o melhor pro final, Machadinho. A morte desse infeliz foi um acidente. Morreu porque estava no lugar errado, na hora errada. O assassino não estava atrás dele. Veio aqui por outro motivo.

Machado impacientou-se:

— Que motivo, homem de Deus?!

— Veio roubar os fardões dos acadêmicos.

O detetive aproximou-se das covas e deparou-se com uma visão que ficaria indelével em sua memória. Desprovidos das galas majestosas, imortais transmutados em festim de larvas, Belizário Bezerra e Aloysio Varejeira estavam totalmente nus.

Havia algo de obsceno e lúgubre naqueles dois cadáveres descarnados, despidos de suas pompas literárias.

Devido ao feriado, Machado Machado só pôde prestar contas ao chefe de polícia na quarta-feira. Para usar uma expressão corrente, o general Floresta estava fulo de raiva. Andava de um lado a outro da sua sala, repetindo uma frase de difícil compreensão para quem não tivesse conhecimento do caso:

— Era só o que faltava! Era só o que faltava! Era só o que faltava!

Fazia uma pequena pausa e tornava a dizer:

— Era só o que faltava! Era só o que faltava! Era só o que faltava!

Machado tentou apaziguá-lo:

— Calma, general. Assim o senhor vai acabar tendo uma síncope...

— Calma, merda nenhuma! — replicou Floresta, perdendo a compostura. — Que explicações eu vou dar à população? E à Academia? Mais um defunto! E, até agora, o senhor não descobriu nada!

O Coruja sabia que, quando o general o chamava de senhor, era porque estava deveras aborrecido.

— Estamos progredindo. Com o auxílio do doutor Gilberto de Penna-Monteiro, tenho certeza de que...

Floresta interrompeu, explodindo:

— Esse é outro! Esse é outro! Nem me dá satisfações. Também, a culpa é minha. Como é que eu fui confiar num médico que só trata do paciente depois de morto!?

O comissário tentou ser espirituoso:

— A culpa não é dele, é dos pacientes...

O chefe de polícia fuzilou o subalterno com o olhar.

Machado usou de seus poderes especiais, dados por Floresta, para proibir qualquer revelação sobre Brás Duarte e os fardões roubados. Temia que a história saísse nos jornais do dia seguinte, atrapalhando uma investigação bastante complicada. Ninguém se atreveria a desobedecer-lhe. No entanto, precisava fornecer alguma pista que acalmasse o superior. Por sorte, ao chegar à chefatura, havia uma boa notícia à espera dele.

— A coisa está melhorando, general. Dois guardas que faziam a ronda em Botafogo, ontem à noite, prenderam um homem pulando a gradaria do cemitério. Está esperando pra ser interrogado.

A boa-nova aplacou a irritação do chefe.

— Ainda bem. Se eu não cobro, ninguém faz nada. Vá lá, vá lá! — ordenou, enxotando o Coruja do escritório.

O ESPECIALISTA

O suspeito preso pelos policiais ao fugir do São João Batista encontrava-se sentado à mesa de uma sala de paredes descascadas, no fundo da delegacia. Trajava um imaculado terno branco, apesar de ter passado por cima das grades do cemitério e de ter oposto ligeira resistência à prisão. Nem a noite em claro lhe desalinhara os cabelos bem aparados ou abatera seu semblante. Tinha bigodes finos, como os galãs de cinema, e as unhas bem manicuradas.

Quando Machado Machado e Penna-Monteiro entraram no recinto, o personagem consumia, sem pressa, uma média com pão e manteiga. Sentia-se à vontade, transformando aquele ambiente inóspito e mofado no salão do seu botequim favorito. Como bom anfitrião, levantou-se para recebê-los e indicou duas outras cadeiras em frente à mesa de pernas tortas.

— Por favor, sentem-se. Estava terminando meu *breakfast*. Os ingleses afirmam que é a refeição mais importante do dia. Estão servidos?

Os amigos entreolharam-se, estupefatos. Antes que se recobrassem do espanto, o cidadão continuou:

— Perdão por ter oferecido uma pequena propina ao carcereiro pra que ele providenciasse o desjejum. Espero não ter quebrado o regulamento. — Limpou os lábios e a ponta dos dedos num lenço de linho. — Permitam que me apresente: Heroíldo Capanema. O que desejam?

Machado recuperou-se:

— O regulamento você quebrou foi na noite de ontem. O que é que estava fazendo no cemitério numa hora daquelas?

— Perdão, doutor, sei que estamos vivendo sob estado de sítio, mas a Constituição de 1891 me garante o direito de ir-e-vir.

O detetive e o legista não acreditavam no que acabavam de ouvir.

— Não sei se isso inclui ir e vir de um cemitério àquela hora. — Machado repetiu a pergunta: — Estava lá fazendo o quê?

— Exercendo a minha profissão.

— Que seria?

— Arqueólogo contemporâneo.

O comissário percebeu com quem falava. Heroíldo Capanema não tinha o perfil do assassino que procuravam.

— Sei. Ladrão de túmulos — concluiu o policial.

— Pronto. Começou o preconceito. Invadir as tumbas dos faraós em busca de tesouros, como fizeram com Tutancâmon, é ciência. Agora, fazer o mesmo, hoje em dia, é roubo.

Penna-Monteiro irritou-se com o sofisma impecável do gatuno necropolar.

— É diferente. Você vive às custas dos mortos!

— Como os legistas...

O Coruja teve que fazer um esforço para manter a seriedade do interrogatório e segurar o amigo, que ameaçava partir para a agressão física. Acendeu um cigarro, ofereceu o maço a Heroíldo, que recusou, numa forma original de cortesia:

— *Merci.* Tenho nojo.

Machado continuou, depois de uma tragada:

— Bom, vou fazer um trato com você: se me contar tudo o que viu a noite passada, no São João Batista, desta vez eu deixo você ir embora.

Penna-Monteiro, ainda enraivecido pela comparação do larápio, chocou-se com a proposta:

— O quê!? Vai soltar esse sanguessuga safado?

— De novo o vitupério. Que mal faço eu à sociedade? Minhas buscas atingem apenas quem já se desprendeu dos bens terrenos. Sou uma espécie de Robin Hood metafísico: tiro dos mortos pra dar aos vivos.

Tanta filosofia barata começava a cansar o detetive:

— Estou perdendo a paciência. Daqui a pouco cancelo o acordo.

— Bem, doutor, devo confessar que não presenciei nada de muito relevante. Quando cheguei ao sítio das escavações, o matador já tinha executado sua tarefa. Por sorte, não me viu. As sombras das estátuas dos anjos me protegeram. Passou bem rente a mim, de chapéu e sobretudo com a gola pra cima. Parecia forte e era mais alto que eu. Não quis olhar muito, com medo de que ele me visse. O canalha levou embora os fardões e os espadins dos acadêmicos. Um espólio que era meu — resmungou, indignado.

Penna-Monteiro revoltou-se:

— Seu, coisa nenhuma! Vampiro de cemitério!

— Vampiro? Eu? Não, sou um mero negociante de mercadorias póstumas. Digo mais: os tempos são de crise. Não está fácil exercer a arqueologia contemporânea. Permaneço na ativa por amor à arte.

Machado admirava o cinismo do marginal.

— O que mudou? As pessoas continuam morrendo.

— Mudaram as famílias, doutor. Antes, os entes queridos eram sepultados com suas jóias, seus relógios, suas roupas mais caras. Hoje, quase enterram nus os coitados dos falecidos. Os belchiores não dão nada pelos trajes. E, quando temos a oportunidade de explorar uma escavação proveitosa, somos alijados por um criminoso cruel e oportunista. O assassino roubou o pão da boca dos meus filhos. Agora, me resta rezar pelo auxílio da Divina Providência.

Até Penna-Monteiro ficou curioso:

— Você reza?

— Só em circunstâncias extremas. Sou um homem de fé, então peço a Deus que se compadeça de algum cardeal enfermo e o chame pra junto de si. Um cardeal cobre as minhas despesas por dois anos. Levo uma vida modesta.

Como se adivinhasse o pensamento de ambos, Heroíldo detalhou o inventário:

— O báculo cravejado, a mitra com aplicações douradas, a cruz de ouro com pedras preciosas, o anel valiosíssimo, os escarpins com fivelas de prata. Até as luvas brancas e as meias púrpura rendem um bom dinheiro. Concluindo, senhores, o cardinalato é uma bênção incomparável. Um bom cardeal é como uma vaca: só não se aproveita o berro.

Cumprindo o acordo, o comissário Machado Machado permitiu que Capanema corresse da delegacia, evitando, assim, que Penna-Monteiro transformasse o perpetrador em vítima.

ESPREITANDO DE PALHETA

H avia apenas um Delage, tipo GL — Grand Luxe —, circulando pelo Rio de Janeiro. O veículo, feito por encomenda, viera, no começo do ano, como bagagem especial anunciada com grande estardalhaço. A fotografia do orgulhoso proprietário com a esposa ao lado do carro fora capa da revista *Fon-Fon!*.

O comissário Machado perguntou-se o que estava fazendo a famosa limusine, parada na rua Constante Ramos, em frente à casa da atriz Monique Margot.

Resolvera procurar a francesa, em desespero de causa, na esperança de que ela conhecesse o Brás Duarte do bilhete. No Teatro São José, soube que Monique saíra de licença, alegando um mal-estar.

O detetive puxou o chapéu-palheta, protegendo o rosto dos indiscretos, e escondeu-se na aléia do prédio ao lado do sobrado da corista, justo quando um cavalheiro de casaca saía furtivamente da casa e se enfurnava no interior do luxuoso automóvel. Como ele calculara, o *malaise* que acometera Monique Margot se chamava embaixador Caio Pontes-Craveiro.

Machado refletiu com cínica sabedoria: "Manuela e Caio Pontes-Craveiro: enfim um casal unido pela infidelidade...".

Estava assombrado diante da vitalidade do homem. Aos setenta anos, com duas mulheres fogosas

121

como Monique e Manuela, não devia lhe sobrar muito vigor para os assuntos diplomáticos. Acendeu um cigarro pensando na possibilidade do embaixador ter algum envolvimento nos crimes, mas logo pôs a idéia de lado.

O caso transformava-se em obsessão, tanto para ele como para Penna-Monteiro. Por mais que tentassem, não conseguiam nem ao menos decifrar o estranho bilhete. Também queria discutir com Margot sobre o assassinato do capanga de Belizário, Pedro Menelau, buscando indícios que pudessem ajudar a investigação.

"De qualquer forma, deixa ver o que é que eu arranco dessa moça", decidiu, lançando longe o Cairo e dirigindo-se para a casa da vedete.

Monique abriu a porta de calcinha, sutiã e cinta-liga, como se fosse a coisa mais natural do mundo. Olhou o visitante de cima a baixo.

— *Quelle surprise!* Só aparece aqui depois de quase duas semanas... Não sei se devo perdoar tanta indiferença — fingiu reclamar, colando seu corpo quente ao de Machado.

O comissário lembrou-se do ciumento Maximilien Muchenot e resolveu que não precisava de outras complicações. Dominando o desejo, afastou com delicadeza a moça seminua.

— Vim à sua casa porque, no teatro, me disseram que hoje você não ia trabalhar.

— É verdade. Estava um pouco febril, mas já passou — mentiu a atriz, procurando beijar os lábios do policial.

Machado esquivou-se do beijo, disfarçando:

— Essa febre tem a ver com a visita do embaixador Pontes-Craveiro?

Irritada, Margot saiu de perto dele.

— E se tivesse?

— Quando cheguei, o embaixador estava saindo daqui — explicou Machado. — Nunca vi um remédio com um carro tão bonito...

— Você parece o Max. Ele viveu uma pequena *aventure* com a embaixatriz, mas acha que eu não posso ter um *affaire* com o embaixador. Caio é um *bon ami*, que me ajuda muito, e não dou satisfações da minha vida particular a ninguém. Quem conhece as minhas necessidades sou eu — respondeu a francesa, friamente.

— Manuela com Maximilien Muchenot!?

— Por que não? Se quer saber, eu também já fui pra cama com ela. Muito *en passant*, claro, como experiência. O Caio quis ficar assistindo.

O Coruja não sabia se a intenção de Monique era chocá-lo ou se ela falava a verdade, mas, imaginando as duas mulheres lindas, nuas, na cama, admirou a iniciativa do velho e experiente embaixador. E, mais uma vez, disfarçou, procurando manter o tom educado:

— Estou aqui fazendo o meu trabalho. Você me contou que o Bezerra estava esperando um guarda-costas que vinha de Pernambuco. O homem veio, chegou e morreu.

— Eu li no jornal.

— Eu queria saber se, por acaso, ele procurou você antes de ir ao cemitério.

Ainda agastada pela intrusão inoportuna de Machado, Monique foi lacônica:

— Não.

— Obrigado.

— Só telefonou.

— Telefonou? Por que não disse logo?!

— Porque você não perguntou. Depois, que importância tem? Estava ligando do cais do porto, procurando o amado patrão. Primeiro, ligou pro hotel; na portaria falaram do assassinato. O coitado não acreditou e chamou o meu número, que Belizário tinha deixado pra qualquer emergência. *Voilà, c'est tout* — informou Monique.

Machado Machado procurou amenizar a situação. Correu os dedos pelo rosto dela, num gesto carinhoso.

— Não fica zangada, não é falta de atenção. É que esse caso está tomando todo o meu tempo. Mas juro que pertencer a um clube de admiradores do nível do galante Belizário e do provecto embaixador é motivo de orgulho pra mim.

Pensando que o domínio insuficiente da língua portuguesa não permitiria a Margot entender que a frase ficava entre a ironia e o elogio, Machado aproveitou para lhe mostrar o enigma:

— Por acaso conhece isto?

A curiosidade foi mais forte que o azedume, e Monique examinou atentamente a mensagem cifrada. Ficou tão intrigada quanto todos que viam o bilhete.

— Nunca vi. Que passarinho é esse?

— É o que estou tentando descobrir — disse o detetive, embolsando o papel.

— É do assassino?

Machado exerceu o hábito irritante dos policiais, de sempre responder uma pergunta com outra:

— Quem é Brás Duarte?

Para Monique, foi a gota d'água. Fuzilou o policial com os belos olhos verde-esmeralda e abriu a porta de supetão para ele enquanto berrava:

— Pensou o quê!? Que fosse um dos meus amantes? Claro! Faz parte das centenas de homens com quem eu vou pra cama! Do *club*! Não foi isso que você disse? Do *club*! *Adieu!* — esbravejou, enxotando o detetive.

O comissário Machado Machado saiu da casa e apressou o passo, acossado pelos gritos da vedete:

— Você foi expulso do *club*! *Canaille!*

Preocupado com a gritaria, ele nem percebeu o vulto encoberto pelas árvores que o observava do outro lado da rua.

EN GARDE!

A sala D'armas do mestre Ruggiero Buonaventi, no largo da Carioca, era ampla e despojada. Havia apenas o essencial para transformar o enorme salão numa academia onde se ensinava o manejo do sabre, do florete e da espada. Um espelho ocupava toda uma parede lateral, e os diplomas e medalhas do velho italiano cobriam parte de outra, junto a antigas ilustrações, mostrando os cinco golpes básicos:

Balestra: quando o esgrimista executa um salto curto num ataque ao adversário;

Estocada: golpe desferido com a ponta da arma;

Flecha: uma corrida curta e rápida pressionando o adversário;

Reprise: é efetuado depois do lutador estender a perna dianteira com um golpe à frente;

Resposta: ofensiva em reação a um bloqueio de ataque do adversário.

Com esses cinco golpes, doze mil variações podem ser executadas.

A maioria dos freqüentadores pertencia ao Exército, uma vez que a esgrima era um esporte pouco difundido, geralmente apenas praticado nos quartéis, pelos oficiais militares. Isso não abalava a convicção do mestre-D'armas, na certeza de que seu pioneirismo daria bons frutos. Plantado no meio da sala, gritava para os alunos em posição de combate expressões compreendidas apenas pelos iniciados: "Parada em quarta! Redobrar sobre o braço! Atacar em primeira! Segunda por fora! Ataque ao flanco!".

Como em todos os sábados, Machado estava entre os pupilos. Era a única prática que o fazia esquecer o trabalho. Enquanto suava, aprimorando cada gesto com o florete, sua arma preferida, desligava-se dos Crimes do Penacho.

No entanto, nessa manhã, um visitante trouxe-o de volta à realidade. Maximilien Casimire Felisbert Anglois de Muchenot acabava de adentrar a sala D'armas.

Buonaventi interrompeu o treino para receber o desconhecido:

— Pois não?

— Vim me inscrever como aluno, *monsieur*. Quem me recomendou a academia foi o comissário Machado Machado.

O detetive lembrou-se do convite feito por ocasião da visita ao cassino do Copacabana.

— É verdade, *don* Ruggiero. Deixe que eu lhe apresente Maximilien Muchenot. Disse que era bom espadachim, e o convidei pra conferir.

Machado não conseguia atinar por que o francês olhava para ele com uma profunda expressão de ódio. Buonaventi continuou:

— Os bons esgrimistas são sempre bem-vindos. Resta saber se são de fato bons. Cuidado, porque o comissário é o meu melhor aluno.

Max respondeu sem tirar os olhos de Machado:

— As espadas estão no meu sangue desde a Idade Média. Um dos meus antepassados foi o pupilo preferido de Labouissière — afirmou, com desprezo, citando um grande mestre francês.

O italiano retrucou sem sutileza:

— Veremos. A esgrima não é hereditária como a sífilis.

O mestre-D'armas afastou-se, deixando os dois homens a sós.

— Será que estou detectando uma certa raiva no seu tom?

— Não, *commissaire*. O que o senhor está detectando é uma raiva certa.

— Não entendo por quê.

— Não entende? Já lhe disse que sou um homem passional. Às vezes, o ciúme nos obriga a fazer papéis ridículos. Ontem à noite eu estava escondido entre as árvores, em frente à casa de Monique, na rua Constante Ramos. Por que, quando o senhor me viu no cassino, não disse que conhecia a minha mulher? — perguntou, quase sibilando.

Machado admirou-se do descontrole do homem. Respondeu com uma meia verdade:

— Primeiro, porque os meus encontros com essa senhora foram estritamente profissionais e, segundo, porque ela nem é sua mulher.

— Não interessa! Pra mim, é como se fosse!

O Coruja condoeu-se do crupiê martirizado, que não se conformava com as atividades extracurriculares da vedete.

— É melhor se acalmar, Maximilien.

— Lembra que eu lhe disse que um duelo é a melhor maneira de dois cavalheiros resolverem suas diferenças?

— Lembro, e também lembro que os duelos não são permitidos desde o século passado.

Maximilien retirou dois floretes de um armeiro colado a uma das paredes.

— Mas não aqui, com as pontas protegidas.

Atirou uma das lâminas para Machado.

O mestre-D'armas interrompeu a aula e, com os alunos, formou um círculo em volta dos contendores. Jogou-lhes as máscaras protetoras de tela metálica. Muchenot dispensou a sua, chutando-a longe. A contragosto, o comissário imitou-lhe a fanfarrice. Ruggiero Buonaventi quis impedir aquela bravata perigosa, ameaçando:

— Sem as máscaras, não! É proibido!

Machado Machado sorriu com sarcasmo.

— E o caro mestre Buonaventi vai fazer o quê? Chamar a polícia?

Maximilien provocou mais ainda o detetive:

— Claro que não, *monsieur le commissaire* não pode passar por covarde... — fustigou, ao mesmo tempo que retirava a cápsula protetora do florete e avançava para o primeiro golpe, executando uma balestra.

Machado mal teve tempo de se esquivar e também arrancar a capa que cobria a extremidade da sua lâmina.

Na sala D'armas do largo da Carioca, sob o olhar apreensivo do velho mestre, os ferros de ponta esmerilada ressoaram despidos de qualquer segurança, num autêntico duelo do século passado.

Era visível a excitação causada pelo embate entre os alunos. Muchenot soltava gritos assustadores a cada investida, como um samurai enlouquecido. Mestre Ruggiero foi obrigado a reconhecer a excepcional destreza do esgrimista francês. Por sorte, seu pupilo estava bem preparado.

Max estendeu a perna direita com um golpe à frente, numa clássica reprise, tentando a estocada letal. Para espanto de Muchenot, Machado esquivou-se, no último momento, da lâmina que vinha na direção do seu rosto e respondeu de forma inesperada: girou o corpo num movimento rápido e imprensou o adversário contra o espelho da sala, arrancando-lhe o florete da mão.

Ruggiero Buonaventi respirou aliviado e disse a Muchenot:

— Você é bom, muito bom, *ma, grazie a Dio*, não tão bom quanto Machado.

Maximilien retrucou, como se tudo não passasse de uma brincadeira inofensiva:

— *Monsieur le commissaire* não seguiu as regras do jogo...

— É verdade, se fosse seguir as regras do jogo, ia ter que jogar você no xadrez. Vá-se embora antes que eu me arrependa — sentenciou o detetive, no fundo lastimando o ciúme doentio do francês. Ninguém merecia aquele sofrimento inútil.

— *Fuori! Vai via!* — ordenou o mestre-D'armas Ruggiero Buonaventi, apontando a porta.

Antes que ele saísse, Machado lembrou-se de perguntar, jogando verde:

— Tem visto o Brás Duarte?

— Não conheço nenhum Brás Duarte, *commissaire*. Aliás, é um nome totalmente destituído de nobreza. *Quelle horreur!* — lançou, com desprezo, por cima dos ombros, Maximilien Casimire Felisbert Anglois de Muchenot, último baronete falido de Vauvray.

O PAIZ

RIO DE JANEIRO, SEGUNDA-FEIRA, 28 DE ABRIL DE 1924

CHRÓNICA POLICIAL

Mystério prolongado

Malgrado as renovadas declarações optimistas do chefe de polícia, general Floresta, continuam infructíferas as investigações sobre os "Crimes do Penacho".

Aggravando a situação actual, outro homicídio foi commettido no cemitério S. João Baptista.

O crime estaria relacionado à morte dos acadêmicos, pois a victima, Pedro Menelau, teve seu pescoço decepado sobre o sepulcro do senador Belizário Bezerra.

Segundo fontes officiosas, Pedro Menelau, cidadão pernambucano, acabara de desembarcar do Recife e era dilecto funccionário do pranteado belletrista.

Seu assassinato torna mais mysterioso o caso dos Immortais recentemente fallecidos.

A erecção do Christo Redemptor

Continuando o apello iniciado em setembro do anno passado, com a campanha de arrecadação de fundos para a erecção de uma estátua do Christo Redemptor em um dos mais altos cumes do Rio, o Corcovado, será offerecido amanhã um opíparo banquete beneficente, no Hotel das Paineiras.

A creação da colossal estátua, para a commemoração do centenário, era indispensável para demonstrar o espírito cathólico tão arraigado em nossa terra, que se confunde com a augusta celebração patriótica.

Na ocasião, a iniciativa inspirou vários dos nossos mais eminentes vates. Cabe destacar o belíssimo poema "Effigie em excelso throno", da lavra do insigne acadêmico padre Ignacio de Villaforte, cuja derradeira estrofe publicamos:

...

À ephémera pergunta: resistir, quem há-de?
Pois mesmo a nobre estátua, em sua transcendência,
Expulsa desta terra a torpe iniqüidade

E afasta para sempre toda violência!
...

Projectado em duas partes, o Christo Redemptor compõe-se de pedestal e estátua. O pedestal com 12 metros e a estátua com 35 metros de altura, permittindo a permanente visibilidade do monumento. A não ser, *cela va sans dire*, em dias de neblina.

A comparecência ao apparatoso festim, encommendado à Casa Paschoal, da "chic" rua do Ouvidor, exigirá trajes de gala e, em um gesto generoso, foi offerecido pelo benemérito e illustre membro da Academia Brasileira de Letras, o jornalista Lauriano Lamaison.

Na oportunidade, será mostrada a maqueta do projeto escolhido, e Lauriano Lamaison offerecerá um vultoso prêmio de déz mil contos de réis ao engenheiro Heitor da Silva Costa, vencedor do concurso realizado para a construcção da obra.

Ao cair da tarde, no Café Papagaio, na rua Gonçalves Dias, o comissário Machado Machado fechou o jornal depois de ler as duas notícias, acendeu mais um cigarro e pediu ao garçom que lhe trouxesse outra cerveja. Dizia a história que o nome do café se devia a um papagaio de apelido Bocage, assim chamado porque do seu bico brotavam palavrões e versos pornográficos. Os boêmios que freqüentavam a casa lhe ensinavam o repertório. Constava da lenda que, quando proferiu uma dessas quadrinhas diante de uma senhora, Bocage foi preso por um guarda, em nome da moral e dos bons costumes.

O lugar era um dos preferidos pelos intelectuais e pela turma do teatro. Numa mesa ao lado da ocupada pelo detetive, o veterano ator Leopoldo Fróes apresentava ao novato Jayme Costa uma atriz muito jovem, que lançaria em breve, chamada Dulcina de Morais. Na mesa mais ao fundo, os desenhistas Kalixto e J. Carlos, da revista *D. Quixote*, conversavam com outro artista, o elegante Procópio Ferreira, que começava a rivalizar com Fróes. Kalixto rabiscou rapidamente, na toalha, os traços marcantes de Procópio, criando uma caricatura perfeita.

Machado passara parte da manhã procurando, sem sucesso, descobrir o misterioso passarinho do bilhete no insosso *Tratado ornitológico sobre a fauna alada do Brasil*, de Lauriano Lamaison. Depois, percorrera a feira do largo do Capim e da praça do Mercado, mostrando aos maiores passarinheiros da cidade o desenho da ave acima do nome Brás Duarte na mensagem do assassino. Nada conseguiu, além de palpites controversos e de discussões exacerbadas entre os especialistas. Chegou à conclusão de que talvez o pássaro desenhado fosse uma artimanha do louco para confundir as investigações e não pensou mais no assunto.

O garçom vinha equilibrando a cerveja, em meio aos fregueses que lotavam o café, quando Gilberto de Penna-Monteiro chegou. O legista instalou-se e também pediu cerveja.

— Leu o jornal de hoje? O Floresta deve estar enfurecido. Não procurou você?

— Procurou, porém não me fiz encontradiço... — declarou, pernóstico, Machado, sorvendo uma golada. — Achei mais interessante a matéria da coluna social.

— O negócio da ereção do Cristo Redentor? Que título infeliz.

— Sem dúvida, mas o que me interessou mesmo foi saber do banquete. Enfim, vou poder ter uma conversa com o famoso Lauriano Lamaison. Desta vez, ele não me escapa.

— Ficou doido, Machadinho? Não leu que a recepção exige traje de gala? Você, com jeito de poeta maldito, de palheta, com o terno todo esbandalhado e um cotoco desse cigarro fedido no canto da boca, como é que vai se apresentar? — E imitou um mordomo anunciando sua chegada: — Senhoras e senhores, comissário Machado Machado: a polícia em farrapos!

O Coruja riu da descrição do amigo.

— Não vou ao banquete. Pego o Lamaison no trem do Corcovado.

Penna-Monteiro provou a bebida que o garçom acabara de trazer.

— Falando em Lamaison, desencavei uma informação inacreditável.

— Que informação?

— Estive ontem em Petrópolis e soube qual é o segredo terrível que permitiu ao Aloysio Varejeira chantagear o poderoso Lauriano Lamaison.

— Como é que você conseguiu?

— Com muita dificuldade. Tive até que embebedar meu caseiro, o Arlindo. Sabe a história do Rolls-Royce da Manuela Pontes-Craveiro, que correu à boca pequena mas foi logo abafada?

— Claro! Que volta e meia o carro era visto na casa de campo do Lauriano.

— Pois é. Não era boato.

Machado avaliou a informação:

— Então o malandro estava mesmo tendo um caso com a Manuela. Mas ser amante da Manuela não é razão pra chantagem, é motivo de orgulho.

— Mas não é com a Manuela que o Lamaison está tendo um caso — disse Gilberto. E revelou, triunfante: — É com o motorista japonês.

O queixo do comissário Machado Machado não caiu porque a mandíbula estava bem encaixada nos eixos.

— Ninguém sabe, mas parece que ele é doidinho pelo tal Yamamoto. Notável, essa atração irresistível do Lauriano Lamaison pelo nipônico. Vai ver que no fundo ele gosta de ser chamado de Barão Amarelo.

— Fantástico! E ninguém soube a não ser os caseiros — concluiu o detetive, fazendo uma anotação mental para acrescentar a categoria à sua lista de informantes especiais, ao lado das manicures, garçons e mensageiros de hotel.

— O japonês só usa o carro escondido, quando a Manuela viaja. Costuma ir de trem, ou Lamaison manda buscar de automóvel. O caseiro dele contou pro Arlindo que uma tarde o Varejeira chegou sem avisar e surpreendeu os dois. Foi um escândalo.

— Quer dizer que o Aloysio descobriu essa brecha na fortaleza do Barão?

— Não esqueça que o Varejeira também cuidava das transações irregulares do Lamaison e era um advogado de péssima reputação. Por isso é que o todo-poderoso Barão Amarelo, o homem mais temido do país, ficava indefeso nas mãos daquele chicaneiro.

— Ficava, não fica mais. Seria motivo pros assassinatos?

— Talvez, mas não justifica a morte dos outros, nem o veneno — explicou Machado. — Lamaison deve dispor de métodos menos complicados. De qualquer forma, é um bom argumento pra puxar assunto com ele, amanhã, a caminho do Corcovado.

Ambos terminaram a cerveja em silêncio, absortos em pensamentos sobre a fragilidade humana. Penna-Monteiro pediu a conta e declarou, filosófico, enquanto saíam do Café Papagaio:

— O que aconteceu com Lamaison serve pra comprovar literalmente o provérbio latino.

— Que provérbio? — perguntou o detetive.

— *"Qui culum habet timorem tenet."*

Machado Machado concordou, traduzindo e cunhando para sempre o dito popular:

— É verdade, meu amigo. "Quem tem cu tem medo."

PIUÍÍÍÍÍÍ PIUÍÍÍÍÍÍÍ!!

Veja, ilustre passageiro,
O belo tipo faceiro
Que o senhor tem a seu lado.
E, no entanto, acredite,
Quase morreu de bronquite,
Salvou-o o Rhum Creosotado.

Pela milésima vez na vida, o comissário Machado Machado leu o famoso reclame atribuído ao poeta Bastos Tigre. Presentes em todos os bondes do país e também afixados nos vagões daquele trem, os versos anunciavam as qualidades de um xarope.

Como carioca legítimo, Machado recusava-se a visitar os pontos de atração turística da cidade. Não fosse por razão de ofício, é provável que jamais conhecesse a estrada de ferro, inaugurada por d. Pedro II, que ligava o Cosme Velho ao Corcovado, passando pelas Paineiras. Primeira ferrovia a ser eletrificada no Brasil, seu trem era o mais moderno meio de acesso ao Hotel das Paineiras, destino de Lauriano Lamaison.

À procura do magnata, o Coruja percorreu o comboio recheado pelo *grand monde* do Rio, atraindo os olhares curiosos dos passageiros. Era o único vestido com "displicência". Penna-Monteiro chamaria aquela descontração de desleixo, porém a verdade é que tal negligência no vestir era estudada. Fazia parte do estilo de menino desprotegido adotado pelo detetive. Ele veio pelo corredor, seguro de si, de palheta, em meio aos chapéus emplumados, fardas de gala e luvas de renda antiga.

Lauriano Lamaison ocupava, sozinho, o último carro. Machado Machado entrou sem pedir licença, enquanto o Barão Amarelo lia a página de histórias em quadrinhos de um dos seus jornais. O calor e o protocolo não o impediram de envergar o fardão da Academia Brasileira de Letras, que nem era adequado para a ocasião. Ria da leitura, um riso desproporcional, como se quisesse se convencer da graça das historietas.

Lamaison divertia-se com:

OS SOBRINHOS DO CAPITÃO

As tiras dos *Sobrinhos do Capitão*, criadas por Rudolph Dirks, eram traduzidas do *Katzenjammer Kids*, cujos direitos Lauriano adquirira dos jornais de Hearst, nos Estados Unidos. Os "sobrinhos" eram dois meninos endiabrados, capazes das piores travessuras. As histórias retratavam com humor algumas maldades típicas das crianças, e suas traquinagens eram sucesso mundial. Lamaison adorava ler as aventuras dos moleques, e acabara se transformando num especialista no assunto. O que mais o fascinava era a amoralidade dos dois, que lhe permitia fazer as maiores crueldades sem o menor sentimento de culpa. O Barão Amarelo identificava-se integralmente com o espírito daqueles personagens.

Assim que Machado se aproximou, ele fechou o jornal muito contra a vontade e olhou com pouco-caso para o policial.

— Este vagão é particular.

Antes que Lamaison retomasse a leitura, o Coruja identificou-se, mostrando os documentos.

— Ótimo. Então vamos poder conversar sem ser molestados. Comissário Machado Machado.

Lauriano interessou-se:

— Sei, o encarregado das investigações dos Crimes do Penacho. Meus jornais têm lhe dado boa cobertura. Mesmo que não descubra o assassino, o senhor vai acabar mais famoso que artista de cinema... — declarou, com sarcasmo.

— Estou mais preocupado com a sua fama... — respondeu Machado, cheio de segundas intenções, vingando-se da ironia de Lamaison.

O instinto agudo do Barão Amarelo logo o pôs em estado de alerta.

— Não sei a que fama o senhor está se referindo.

— Acho que sabe, sim. E não seja ingrato: não há por que se envergonhar da sua paixão pelo motorista oriental da embaixatriz Manuela Pontes-Craveiro. O amor é lindo, Barão...

Se os olhos de Lamaison fossem revólveres, o policial teria caído fulminado.

— Eu o aconselho a tomar muito cuidado com as infâmias que disser. Sou amigo íntimo do general Floresta. Com um telefonema, posso destruir sua carreira.

— Que pena... aí vou ter mesmo que virar artista de cinema... — rebateu Machado, com absoluta segurança.

Vendo que a ameaça não surtira efeito, Lauriano optou pela conciliação.

— Muito bem. Desde que o senhor não volte a tocar nessa calúnia, estou pronto a lhe fornecer qualquer ajuda.

— Quanto a isso, pode ficar tranqüilo. Sou policial, não sou alcagüete. As suas preferências sexuais não me dizem respeito; mas quero que entenda que o fato de um homem perigoso como Aloysio Varejeira ter sabido desse caso põe o senhor na lista dos suspeitos.

— Bobagem. Pra mim, a única coisa perigosa no Varejeira era o hálito. Claro, ele fez pressão pra que eu o colocasse na Academia, mas também o fiz por uma questão de vaidade pessoal. Queria mostrar meu poder àqueles velhinhos decrépitos. De resto, Aloysio dependia muito mais de mim que eu dele. Eu representava a maior parte do seu faturamento. Não precisava matar tanta gente só pra me livrar do Varejeira.

Machado concordava com Lamaison. Usara o *affaire* do Barão com Yamamoto apenas como instrumento para derrubar-lhe as defesas. Suavizou o tom da entrevista:

— O senhor sabe de tudo o que se passa nesta república. Então me diga: havia ligações entre Aloysio Varejeira e Belizário Bezerra?

— O único elo era o fardão. Se houvesse outros vínculos, pode ter certeza de que eu saberia.

— E o padre Ignacio de Villaforte? Por que foi o único a votar em branco?

— Aquele santarrão? Por nada, por implicância. Pra mostrar que tem independência, escondido atrás da batina — resmungou Lauriano, quase com nojo.

— Como é que o senhor conheceu o padre?

— Faz algum tempo. No casamento do embaixador Caio Pontes-Craveiro. Ele celebrou a cerimônia, e eu fui um dos padrinhos.

O comissário ficou impressionado.

— O Rio de Janeiro é mesmo muito pequeno. Todo mundo conhece todo mundo... Foi assim que o senhor se encontrou com Yamam...

Lamaison cortou-o abruptamente:

— Já lhe disse pra não se meter na minha vida pessoal!

Machado reconhecia quando passava dos limites.

— Tem razão, doutor Lamaison. Foi uma curiosidade descabida. Eu lhe peço desculpas.

Lauriano virou o rosto num muxoxo magoado. O Coruja surpreendeu-se com aquele gesto feminino, que destoava da fama de homem brutal do Barão.

O trem estava quase chegando à estação das Paineiras. O detetive deu-se por satisfeito, contudo queria conservar o acesso àquela inesgotável fonte de conhecimentos. Lamaison era um verdadeiro arquivo vivo.

— Bem, agradeço a sua paciência e gentileza. Se necessitar de mais alguma informação, eu espero poder contar com a sua ajuda.

Lauriano demonstrou a habilidade que tinha para manter amigáveis as relações de seu interesse:

— Sempre que for preciso, meu caro, sempre que for preciso. Afinal, a certos amigos não se pode negar nada.

Machado Machado já ia saindo do vagão quando se lembrou da missiva criptografada.

— O assassino costuma registrar os crimes com esta mensagem — mostrou.

— Por acaso, o senhor sabe quem é Brás Duarte?

Lauriano Lamaison desandou numa gargalhada desabrida.

— Se eu sei quem é Brás Duarte? Claro que eu sei quem é Brás Duarte! Que idéia genial! — exclamou, no mesmo casquinar contínuo. — E sei quem é o assassino, lógico! É tão óbvio!

Lauriano suava, e ria tanto que começou a se engasgar com o próprio riso. Machado perguntou, ansioso:

— Quem é ele, doutor Lamaison? Por favor, diga quem é!

De repente, as gargalhadas converteram-se em gritos lancinantes, e o rosto arroxeado do Barão, porejando grossas gotas de suor, foi se alterando num esgar de dor. O detetive insistiu, em desespero:

— Quem é Brás Duarte, Lauriano?! Fala! Quem é o assassino?!

Lamaison puxou o policial pela lapela do paletó amarfanhado e, num supremo esforço, murmurou em seu ouvido:

— Brás Duarte é Olavo Bilac!

Tentou continuar, porém uma golfada de espuma negra saiu de sua boca, e ele morreu nos braços de Machado, contorcendo-se de dor. Essa frase incongruente foi a última pronunciada pelo Barão Amarelo.

O temerário arquivo vivo transformara-se em arquivo morto.

O PODER EXPOSTO A NU

O anoitecer veio amainar a forte calidez, incomum naquela época do ano. As luzes frias do Instituto Médico-Legal iluminavam a carcaça aberta de Lamaison, esparramada numa das mesas. O fardão, arrancado sem cuidados, repousava em desalinho no espaldar de uma cadeira branca. Voltaria ao dono, depois da necropsia.

Destituído do seu império de intrigas e coerções, Lauriano era somente mais um defunto à mercê da rotineira investigação policial.

Se ele pudesse saber da estupefação e do terror que naquele momento seus despojos causavam a Penna-Monteiro e ao comissário Machado Machado, ficaria envaidecido. O misterioso veneno devastara o cadáver. Quando o legista apoiou o bisturi para praticar o tradicional corte em ípsilon, a pele rompeu-se de cima a baixo, revelando uma cratera escura. Apenas a epiderme segurava os restos mortais do ex-magnata. Era como se alguma coisa lhe tivesse devorado as entranhas, nas cavidades do tórax e do abdômen. Pedaços pútridos de músculos rasgados pendiam do que sobrara das paredes do diafragma. Os frangalhos dos pulmões insistiam em se agarrar às costelas.

O coração de Lauriano escapara ao horrendo festim. Ficara igual ao de Belizário Bezerra e Aloysio Varejeira: engelhado e reduzido, negro como a língua, que saltava da sua boca escancarada.

Machado não conseguia tirar os olhos daquela ruína.

145

— Gilberto, que veneno consegue fazer essa destruição?

— O veneno, eu não sei, Machadinho. Mas sei o que ele provocou. Já ouviu falar em *fasciite necrotica*?

— Graças a Deus, nunca.

— É uma doença causada por uma bactéria comedora de carne.

— O quê!?

— Um tipo de estreptococo que destrói os tecidos. Por isso a bactéria foi apelidada de "comedora de carne".

— Nunca imaginei que existisse uma coisa tão pavorosa.

— E como existe. Há manifestações semelhantes de bactérias comedoras de carne, como na gangrena de Fournier.

— Pelo nome, já fico com medo de perguntar o que é — disse o detetive.

Sem respeitar a relutância do amigo, Penna-Monteiro prosseguiu:

— Trata-se de uma gangrena fulminante, espontânea, do pênis e do escroto. É causada por uma infecção estreptocócica na genitália masculina. Quer ver algumas ilustrações?

— Não, muito obrigado.

Gilberto continuou, perplexo:

— O interessante é que, em geral, essas bactérias se "alimentam" de pele e da camada que envolve os músculos, a fáscia. O veneno fez com que elas se disseminassem também por todo o organismo. Não é engraçado?

— Muito. Eu só não dou risada por respeito ao falecido, mas por dentro estou gargalhando.

O legista percebeu que o assunto não era apaixonante para um leigo.

— Perdão, Machadinho. A curiosidade científica falou mais alto — desculpou-se, cobrindo com uma mortalha o que restara do Barão Amarelo.

Tirou o avental manchado de sangue, vestiu o paletó e, virando-se para Machado, convidou:

— Não há muito mais que fazer aqui. Vamos jantar?

— Nem que fosse no Bife de Ouro — respondeu o policial, citando o nome do restaurante do Copacabana Palace, o mais caro e requintado do Rio.

O Coruja não se chocava com facilidade, porém saiu do recinto antes que Penna-Monteiro apagasse a luz.

Ambos atravessaram, taciturnos, a praça XV, em direção à rua do Carmo.

Uma figura espadaúda e longilínea observavaos, escondida atrás do chafariz da praça. Esperou que o detetive e o legista se afastassem e se aproximou, cautelosa, do muro lateral do Instituto. Levantando um pé-de-cabra que trazia encoberto pelo longo sobretudo negro, arrombou uma das janelas e entrou no necrotério. O luar estendia-se pelo vão da janela vazada, indicando-lhe o caminho. Seguiu o corredor e abriu a porta da morgue. Parou, contemplando satisfeita o resultado nefasto da sua predação. As arcaicas receitas secretas de antanho mantinham o poder destruidor. "Se esperarem muito, não vai haver o que enterrar", pensou, ao ver que os pequenos organismos vorazes continuavam a consumir o corpo inerte. O monge guerreiro Isidoro de Carcassonne, fundador da Veneficorum Secta, a seita dos envenenadores, sentiria orgulho desse fruto longínquo da sua árvore maligna.

Veneficor contornou a mesa mortuária e colheu da cadeira ao lado o butim que o levara a se arriscar naquela incursão noturna: o fardão de Lauriano Lamaison.

Com passadas largas e rápidas, o Envenenador desapareceu silenciosamente dentro da noite, carregando o produto da pilhagem.

Por onde ele passava, a luz dos lampiões da rua projetava-lhe a sombra nas paredes brancas dos prédios, desenhando uma silhueta mais tétrica do que o local que acabara de deixar.

GOOOOL! AVANTE, TRICOLOR!

A pesar da rivalidade entre os dois clubes, e da confusão causada por haver dois campeonatos no mesmo ano, Fluminense e Flamengo resolveram disputar uma partida extraordinária para comemorar o feriado do dia do trabalhador. O amistoso favorecia o clima de festa e confraternização reinante entre os torcedores que lotavam a pequena arquibancada do estádio do Fluminense, nas Laranjeiras, prestigiando o clássico Fla × Flu. No instante em que o time da casa entrou em campo naquela tarde, uma nuvem branca encobriu o céu. Era o já tradicional pó-de-arroz. A manifestação surgira dez anos antes, quando Carlos Alberto, um jogador mulato que viera do América, preocupado com alguns tricolores preconceituosos, polvilhara o rosto de branco. Aos poucos, o suor foi sulcando sua pele, revelando o absurdo do recurso e deixando o atleta malhado como uma zebra. A torcida adversária ria e berrava: "Pó-de-arroz! Pó-de-arroz!". Ao invés do esperado, o Fluminense assumira a idéia como um brado de guerra, e, sempre que o time entrava em campo, lançava uma verdadeira nuvem de talco sobre o estádio.

Sentado em meio ao povo, encontrava-se o padre Ignacio de Villaforte, que era torcedor fanático do Fluminense. Vibrava com os lances geniais do Preguinho, para ele o maior craque da sua geração e, por acréscimo, filho de Coelho Netto, colega de Ignacio na Academia Brasileira de Letras.

Havia também um prazer secreto nessas idas do

padre aos jogos. Ia ao campo sem roupas de baixo e, desapercebido, arregaçava o lado posterior da sotaina, pousando as nádegas nuas sobre a laje fria da arquibancada. Comentara com seu confessor que não via gravidade nesse pecadilho. Era apenas uma maneira tátil de manter um contato indireto com o rebanho, por meio das centenas de traseiros que já tinham sentado no mesmo lugar.

Nessa ocasião festiva, o padre Ignacio de Villaforte achava-se ansioso. Não tinha ido ao campo especificamente para assistir ao jogo, e sim porque marcara, por telefone, um encontro com o comissário Machado Machado. Estava alarmado com uma nota deixada em sua sacristia. Queria mostrá-la ao detetive; porém, desde que soubera da morte de Lamaison, havia escolhido falar com Machado num local público, de grande movimento. Julgava que assim estaria mais protegido. O comissário explicara que a precaução era inútil, o veneno do assassino agia à distância; contudo, nada demovera o padre dessa convicção.

O primeiro tempo terminara com vitória parcial do Fluminense por 1 × 0. Preguinho amortecera a bola no peito, na altura da linha intermediária, driblara Seabra e Candiota, dera um chapéu em Vadinho e, com um *shoot* irreprochável, executara um lançamento de trinta metros, deixando a pelota nos pés de Nilo, o *center-forward* artilheiro do campeonato. Nilo enganara o *right back* Penaforte com um ágil gingar dos quadris, e da sua *shooteira* saíra o tiro indefensável, desbaratando Afonso, o apalermado *goalkeeper* do Flamengo. Os jogadores rubro-negros alegaram, debalde, que Nilo estava *offside*: o *referee* e o *linesman* validaram a jogada.

Ignacio mal conseguira apreciar o lance, aflito que estava com a demora do comissário. Consultava o relógio de minuto em minuto, e seu olhar percorria as tribunas, procurando identificar alguém com as características de um elemento da polícia.

Machado Machado chegou cinco minutos após o início do intervalo. Avistou, de longe, o padre De Villaforte. A figura de batina imaculada distinguia-se em meio aos espectadores, a maioria em mangas de camisa. O detetive, que fugia a todos os padrões das forças policiais, sentou-se a seu lado.

— Padre Ignacio de Villaforte?

O clérigo virou-se, receoso.

— Pois não?

— Comissário Machado Machado.

Padre Ignacio desconfiou do jovem de olheiras, chapéu-palheta e terno sovado. Assemelhava-se mais com os poetas do final do século do que com um policial. Chegava a parecer incongruente o cabo do Colt .45, sua pistola semi-automática que o paletó aberto deixava entrever. A incoerência maior era que, no fundo, o Coruja odiava armas. Por um momento, o padre esqueceu o motivo do encontro e não resistiu a uma observação, apontando o Colt:

— Se me permite o comentário, meu filho, esse objeto não combina com você.

Machado acendeu um cigarro e explicou:

— Concordo, padre, também detesto usar essa "ferramenta de trabalho". Prefiro o sistema da Inglaterra, onde a polícia não anda armada. Mas presumo que não foi pra discutir sobre isso que o senhor quis me ver.

O medo trouxe Ignacio de volta à realidade.

— Tem razão, comissário. Queria lhe mostrar o bilhete que achei na igreja.

Abriu a mão, desdobrando um papel roto e manchado de suor que trazia na palma cerrada. Não desgrudara dele, desde que o encontrara no chão da sacristia.

Um detalhe diferenciava a mensagem das outras. Sob o nome Brás Duarte encimado pelo passarinho estava escrito numa garatuja:

HOUVE OUTRA LOGO DEPOIS

Os dois fizeram a mesma pergunta, ao mesmo tempo:

— Sabe quem é Brás Duarte?

A resposta tornou-se supérflua para ambos.

Tendo em vista que o padre Ignacio de Villaforte poderia ser um dos próximos candidatos à loucura do maníaco homicida, Machado resolveu mantê-lo informado:

— Não quero assustá-lo, reverendo, mas as mensagens têm relação com os crimes. É o assassino quem deixa os bilhetes e depois rouba os fardões das vítimas, não entendo com que propósito.

— Bem, pelo menos quanto a isso, estou tranqüilo, meu filho. Devido aos meus votos de obediência, pobreza e castidade, não tenho fardão. Tomei posse de batina — explicou Ignacio, não sem uma ponta de orgulho.

— Fico feliz de encontrar um padre que leva seus votos tão a sério — provocou o detetive. — Conheci um que praticava obediência barganhada, pobreza de espírito e castidade relativa.

— Não é o meu caso — fulminou, ríspido, o padre De Villaforte.

— Claro que não, reverendo — sorriu o detetive, acalmando o Dorian Gray. — De qualquer modo, a única pessoa que me falou desse Brás Duarte foi Lauriano Lamaison. Só que morreu nos meus braços, sem conseguir explicar quem ele era. Ainda balbuciou uma frase que complica mais o mistério.

— Que frase?

— Suas últimas palavras foram: "Brás Duarte é Olavo Bilac".

Uma centelha de ódio aflorou aos olhos do padre Ignacio de Villaforte.

— Típico daquele difamador. Mesmo morrendo, quis profanar a memória do grande poeta. Deus que me perdoe, mas Lauriano Lamaison merecia o que lhe aconteceu. Era um homem sem moral.

Machado encarou-o por alguns segundos e redargüiu:

— Perdão, reverendo, mas não foi Machado de Assis quem disse: "A moral é uma, os pecados são diferentes"?

O alarido da torcida indicou que os times entravam em campo para o segundo tempo. O comissário despediu-se, deixando o padre Ignacio de Villaforte boquiaberto, por ter ouvido um trecho das *Memórias póstumas* ser citado por um "tira" insignificante.

VAGAS PARA TRÊS
CAVALHEIROS DE FINO TRATO

Enquanto se dirigia à tarde, de bonde, para a casa do poeta Euzébio Fernandes, em Santa Tereza, o comissário Machado Machado examinava o desenho que rabiscara tentando, em vão, entender o vínculo existente entre as pessoas envolvidas no caso. De uma maneira ou outra, todas estavam ligadas:

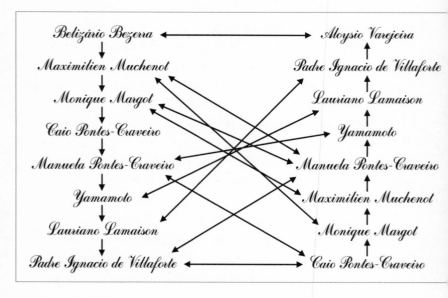

Belizário conheceu Maximilien, que conheceu Monique, que conheceu Caio, que conheceu Manuela, que conheceu Yamamoto, que conheceu Lamaison, que conheceu padre Ignacio, que conheceu Caio, que conheceu Monique, que conheceu Manuela, que conheceu Lamaison, que conheceu Varejeira, que conheceu Belizário. "Parece um texto da Bíblia", pensou. "Nem sei se é um círculo vicioso ou viciado."

Sentia-se perdido. Era raro que não atinasse rapidamente com a solução de um crime. Desvendara assassinatos difíceis, utilizando apenas sua intuição de detetive, porém, nesse caso, continuava intrigado com as pistas encontradas na trilha do criminoso.

Guardou o papel no bolso e saltou em frente à casa de Euzébio Fernandes.

O Coruja maravilhou-se com a beleza da moça que veio abrir a porta. Devia estar com cerca de trinta anos. Tinha os cabelos negros e sedosos arrumados num coque. Vestia-se de preto dos pés à cabeça, e seus grandes olhos redondos davam a impressão de que vivia em perene sobressalto. A voz grave, quase rouca, passava uma sensualidade contida:

— Muito prazer, comissário. Papai está à sua espera. Meu nome é Galatea.

— Não quero parecer atrevido, mas sou forçado a dizer que a sua beleza eclipsa a da estátua feita por Pigmalião — asseverou Machado, referindo-se à lenda.

Galatea ruborizou-se.

— Coisas de papai, que é apaixonado pela mitologia grega, mas tenho certeza de que tanto a ninfa como a outra Galatea eram bem mais inspiradoras de paixões do que eu...

O Coruja contradisse-lhe a modéstia:

— Acho difícil. Muito difícil.

— Não repare que tenha sido eu a recebê-lo. Minha babá foi visitar a sobrinha em Vila Isabel.

— Babá?

— Antiga babá. Desculpe, é a força do hábito.

Maria Eugênia cuidou de mim desde pequena. Continua conosco até hoje, ajudando aqui em casa — explicou a moça, enrubescendo outra vez.

A residência de Euzébio Fernandes era de uma simplicidade monacal. Numa pequena sala de estar, onde também eram servidas as refeições, havia livros espalhados pelos móveis, inclusive numa cristaleira antiga, junto com pratos e copos. Percebia-se que os diversos compêndios iam pouco a pouco se apoderando de todas as dependências da casa. Um corredor estreito dava, pelo que se supunha, para os quartos. O comissário espantou-se ao ver a quase-penúria da moradia do acadêmico. As paredes acolheriam de bom grado algumas demãos de tinta, e os estofados não reclamariam de novas almofadas. No entanto, essa escassez material não parecia afetar o bom humor de Fernandes. Ele aguardava Machado na sala, de braços abertos.

— Que honra receber tão notável figura no meu humilde parnaso!

— O poeta é que merece todos os louvores. Sou apenas um funcionário público no cumprimento do dever — retrucou o policial, com a mesma eloqüência irônica.

— Não seja modesto. O senhor causou excelente impressão ao meu colega Leonardo Feijó, quando visitou o Petit Trianon.

Euzébio afundou o corpanzil no que o detetive julgou ser sua poltrona favorita, uma *bergère* de couro devastada pelos anos. Fez sinal para que Machado se instalasse no sofá em frente. Galatea sentou-se numa cadeira junto à parede que separava a sala da copa. Machado Machado iniciou a conversa com um elogio:

— Eu gostaria de ter o seu imenso talento de poeta pra conseguir expressar a beleza da sua filha.

Galatea baixou a cabeça, envergonhada, e Euzébio Fernandes inflou de satisfação.

— Felizmente, ela puxou à minha saudosa Quitéria — suspirou o viúvo. — Mas... que posso fazer pelo senhor?

— Antes de mais nada, o senhor pode me chamar de você.

— Foi por respeito à autoridade, mas, se é assim, obedeço às suas ordens — brincou Fernandes, batendo continência.

O comissário Machado Machado sorriu e confessou:

— Estou me sentindo frustrado com a investigação desses crimes. Talvez nossa conversa me ajude a entender o que se passa na Academia.

A bela Galatea interrompeu:

— Papai, por que é que, antes de começar, não oferece ao comissário o famoso café do Nordeste? Só você sabe a receita secreta que mamãe deixou.

Euzébio Fernandes extraiu seu corpanzão da *bergère*.

— Boa idéia, minha filha. O comissário aceita um cafezinho?

— Com muito gosto.

O grande poeta dirigiu-se à cozinha, e o Coruja viveu um dos episódios mais angustiantes da sua vida. Quando Euzébio saiu pela porta da copa, Galatea, em silêncio, levantou lentamente a blusa, exibindo os mais lindos seios que Machado já tinha visto. Eram fartos e rijos, de bicos rosados. Ela o fitava com um sorriso de Mona Lisa. Molhou a ponta dos dedos com a língua e acariciou os mamilos, deixando-os ainda mais túrgidos. Seu olhar reluzia, carregado de promessas.

Tudo isso enquanto Euzébio Fernandes preparava a famosa infusão. Machado, aturdido, temia que o acadêmico voltasse de repente, surpreendendo a cena esdrúxula. Alheio ao que acontecia na sala, Euzébio, coando o café, falava alto, sem parar:

— Esta receita da minha querida Quitéria é de beber ajoelhado. Quitéria morreu tísica, coitadinha. Dava pena ver aquele mulherão definhando. Não é, filhinha?

— É, papai — disse Galatea, sem suspender a exibição erótica.

O poeta continuou, mudando de tema:

— Não sei se tenho informações que lhe permitam desenrolar esse novelo. O que quer que eu conte sobre a Academia?

— Qualquer coisa — sussurrou o Coruja, quase rouco, observando Galatea contorcer-se de prazer.

Machado Machado apavorou-se ao pressentir a volta de Euzébio Fernandes. Não havia razão para tanto. Com um sincronismo absoluto, à medida que seu pai se aproximava da sala, Galatea ia abaixando a blusa, devagar, sem tirar os olhos do policial. Machado suspirou, aliviado, quando Euzébio tornou a sentar-se. Teve vontade de fumar para diminuir a tensão.

— O cigarro incomoda?

— Não, fique à vontade. Eu também fumo.

Galatea e o acadêmico recusaram o maço de Cairo.

— Obrigado, mas prefiro charutos — explicou Fernandes.

A filha sugeriu, com falsa inocência:

— Papai, por que é que não oferece ao comissário um dos charutos cubanos que o embaixador Caio Pontes-Craveiro mandou de presente? Acho que você guardou as caixas no armário da copa.

— Mas claro! Onde é que estou com a cabeça? Que falta de educação a minha! — desculpou-se Euzébio, voltando a se levantar da poltrona.

— Por favor! Não vá, não! Não se incomode! — gritou Machado, em desespero.

— Não é incômodo algum — Fernandes garantiu, indo para a copa.

O comissário Machado Machado passou de novo pela mesma provação. A tortura repetiu-se por várias vezes, com pretextos diferentes. Galatea pedia mais açúcar para o café, apontava o cinzeiro cheio, suplicou que o pai buscasse no quarto, para mostrar ao detetive, o retrato da falecida, mãe exemplar e esposa amantíssima.

A cada vez, ela levava a limites mais arriscados o movimento de cobrir os seios no retorno de Euzébio à sala. O perigo do flagrante exacerbava o frenesi de ambos naquele jogo sexual.

Finalmente, já não havia o que sugerir para perpetuar a manobra. O gordo poeta deixou-se cair na poltrona, ofegando pelo exercício, e retomaram o assunto que ocasionara a visita de Machado. Euzébio Fernandes explicou o que se passava na Academia:

— Um verdadeiro alvoroço tomou conta do Petit Trianon. É a primeira vez que surgem três vacâncias ao mesmo tempo. De certa forma, os acadêmicos estão na maior felicidade.

— Por quê?

— Meu caro comissário, o único momento em que dão atenção aos imortais é quando surge uma vaga. A disputa pela cadeira provoca uma paparicação sem limites. Por que é que você acha que o embaixador Caio Pontes-Craveiro, que nunca olhou na minha cara, me mandou seis caixas de charutos cubanos Partagas da melhor qualidade? Um juiz do Supremo, cujo nome vou omitir, me enviou uma cesta enorme de frutas cristalizadas, da Confeitaria Colombo. Tremenda gafe, o coitado não sabe que sou diabético. Um general da cavalaria perguntou se minha filhinha não gostaria de ter um pônei inglês. O ignorante pensa que a Galatea tem nove anos. A não ser quando vai haver eleições, ninguém se importa conosco, mas agora, com três cadeiras vagas, somos tratados como realeza.

Parou para tomar fôlego e acender um charuto.

— E, assim, nós vamos nos deixando corromper docemente. Isso, até completar de novo os quarenta; depois, volta o desprezo absoluto. Gosto muito da definição do escritor Fontenelle, contemporâneo de Racine e Corneille na Academia Francesa.

— Qual é? — quis saber Machado, a quem encantavam as tiradas de efeito.

— Veja você, já naquela época, e na França, ele dizia: "Quando somos trinta e nove, caem-nos aos joelhos; se somos quarenta, caçoam de nós". — E Fernandes completou, repetindo em francês, com seu forte sotaque nordestino: — "*Sommes-nous trente-neuf, on est à nos genoux; et sommes-nous quarante, on se moque de nous...*".

— Pensei que esse deboche fosse mania de brasileiro.

— Qual o quê! A nossa Academia foi feita nos moldes da francesa, criada por Richelieu; é claro que lá também zombaram de muita gente boa. Como aqui, muitos foram eleitos por serem amigos do rei — continuou, vendo que o assunto agradava ao policial —, e muitos deixaram de entrar por não o serem.

— Quem, por exemplo?

— Alexis Piron. Um ótimo dramaturgo e epigramatista talentoso. Mas Luís XV se opôs, por causa de um poema burlesco de autoria dele chamado "Ode a Príapo". Como ele era protegido da *madame* de Pompadour, pra compensar, o rei lhe concedeu uma pensão vitalícia. Quanta hipocrisia! Depois de rejeitado, Piron redigiu seu epitáfio: "Aqui jaz Piron, que não foi nada, nem mesmo acadêmico".

Cada vez mais, Machado Machado simpatizava com o poeta gordo de Santa Tereza.

Euzébio deu uma baforada no charuto e ajeitou-se na *bergère*, incomodado com o que ia confessar:

— Eu reconheço que foi por interesses extraliterários que batalhei pela eleição do meu conterrâneo Bezerra...

O corpo vibrante de Galatea enrijeceu na cadeira.

— Não acredite nisso, comissário. Meu pai é um homem incorruptível!

— Obrigado pela defesa, filhinha, mas a verdade é que eu jamais teria me empenhado na eleição do senador, não fosse a promessa de um emprego no governo de Pernambuco. E, sem a pressão do Lamaison, eu não teria votado no Varejeira — declarou, olhando com ternura para a filha. — Perdoe a Galatea, seu Machado. Ela é muito passional.

O Coruja, que acabara de ter uma prova irrefutável dessa afirmativa, consolou-o:

— O senhor nada fez de grave. Depois, os assassinatos brutais corrigiram qualquer distorção.

— Espero que o assassino não esteja inaugurando uma nova modalidade de crítica literária — ironizou o poeta.

— Acha que os crimes podem ter sido cometidos por algum escritor frustrado, como é o caso na trama do último livro do senador? — o policial perguntou.

— Pode ser, porque, no fundo, todos querem entrar pra Academia. — Fernandes deu um sorriso malicioso: — Escrevi um poeminha satírico a esse respeito. Quer ouvir?

Galatea interferiu:

— Papai, o comissário tem mais o que fazer.

— Nada disso. Vou adorar ouvir o poeta dizendo seu próprio texto, mesmo que seja jocoso. Sou admirador do seu pai há muitos anos.

— No fundo é uma brincadeira. Peço que não comente com meus colegas; alguns deles não têm senso de humor e poderiam se ofender — revelou Euzébio, encabulado.

— Prometo — disse o detetive, pondo a mão no peito.

Euzébio Fernandes levantou-se e declamou em tom de farsa:

Canção do exílio, às avessas

Muito mais do que honraria,
Prêmio, medalha, homenagem,
O auge da biografia
Acha-se numa roupagem.

Até quem jura fobia,
Ou lhe faz objeção,
Num segundo aceitaria
O cobiçado fardão.
Pois confesso emocionado:
Desde os tempos de boemia,
Penso no verde e dourado
Da suprema fidalguia.
É um desejo acobertado
Pelo qual tudo faria.
Por isso é que, ajoelhado,
Eu repito a litania:
Que outro escriba não concorra
Quando chegar o meu dia.
Não permita Deus que eu morra
Sem brilhar na Academia.

Na minha obra eu invisto,
Escrevo prosa e poesia.
Aos modernismos resisto,
Se ofendem a confraria.
Falta rima? Eu não desisto,
Procurando noite e dia.
Fico à espera do imprevisto
Quebrando a monotonia:
Um imortal que encontre Cristo
Ao rolar da escadaria.
Na mesma oração insisto,
Com certa melancolia.
Mantenho a perseverança,
O fervor e a energia.
Se quem espera sempre alcança,
Repito logo a homilia:

Que outro escriba não concorra
Quando chegar o meu dia.
Não permita Deus que eu morra
Sem brilhar na Academia.

Alguns parvos contrapesam
O valor desta autarquia.
Muitos falam que desprezam
A Ilustre Companhia,
Que por ela eles não rezam,
Que aquele chá dá azia.
Se aos meus colegas eu digo,
Fazendo demagogia,
Que para o fardão não ligo?
É mentira, é covardia!
Também sonho às escondidas
Com esse nobre galardão.
Nem temo as lutas renhidas
Quando vai-se um ancião.
Sei das vantagens nascidas
Pelo porte do fardão.
Que outro escriba não concorra
Quando chegar o meu dia.
Não permita Deus que eu morra
Sem brilhar na Academia.

Lá dentro tem mais nobreza
Do que na corte de um rei.
Para provar dessa mesa,
Garanto, tudo farei:
Chamo os imortais de "Alteza",
É certo que agradarei.

Evito qualquer franqueza
E uso de hipocrisia.
Direi que existe beleza
Em bulas de homeopatia.
Só assim vou ter direito
A mordomia e ao jetom.
Prometo que, quando eleito,
Direi em alto e bom som:
Imortal não tem defeito,
Viva o Petit Trianon!

Machado e Galatea aplaudiram, rindo, entusiasmados.

— Bravo! Bravo!

Exaurido pela proeza, o rotundo poeta desabou na *bergère*, às gargalhadas.

O detetive comentou:

— Não tinha idéia de como ser imortal é importante pra certas pessoas.

— E por pura vaidade — assegurou Euzébio —, porque, além do jetom, não existe nenhuma vantagem financeira nisso. Um dos nossos fundadores, meu dileto amigo e compadre Olavo Bilac, dizia que era imortal porque não tinha onde cair morto...

O comissário Machado Machado matutou sobre as palavras de Bilac enquanto tomava mais uma xícara de café.

— Curioso o senhor ter mencionado o Príncipe dos Poetas. A última frase pronunciada por Lauriano Lamaison, pouco antes dele morrer, foi: "Brás Duarte é Olavo Bilac". Já ouviu falar em Brás Duarte?

— Nunca ouvi ninguém chamar Olavo de Brás Duarte. O único Brás que eu conheço é o Brás Cubas, do Machado. Será que foi ignorância do Lauriano? Não me espantaria.

— Duvido. Ele afirmou com muita convicção. O que me intriga é que reli os poemas e as crônicas de Olavo Bilac, e não encontrei nenhuma referência ao nome Brás Duarte.

Os dois permaneceram em silêncio por alguns instantes. Fernandes terminou seu charuto e disse, como se pensasse alto:

— Três acadêmicos mortos. Tenho medo de sair de casa. Minha filha diz que estou ficando paranóico. Se continuar deste jeito, daqui a pouco vai haver mais vagas do que imortais.

Machado levantou-se.

— Infelizmente, passou da minha hora. Foi uma tarde agradabilíssima — frisou, olhando para Galatea —, mas ainda tenho que passar na chefatura, saber das novidades.

Euzébio Fernandes perguntou:

— Então nos vemos domingo, na Candelária?

— Domingo?

— É, domingo. Acho que você deve comparecer à missa solene em memória dos três mortos, não?

— Uma missa só? Pros três?

— Claro. Foi o padre Ignacio que teve a idéia da homenagem tripla. É ele quem vai celebrar a missa. A Academia adorou juntar tudo numa cerimônia só. Fica mais barato. Galatea e eu estaremos lá. No meu caso, espero estar de corpo presente — riu Euzébio.

— Até domingo, então.

— Já que falamos em Olavo Bilac, faço questão de que você leve uma lembrança daqui.

Euzébio Fernandes abriu a cristaleira, pegou de lá várias edições encadernadas e autografou metade.

— Minhas obras completas e as do Olavo. Os livros dele estão dedicados a mim e os meus, a você.

Machado emocionou-se ao receber as obras raras, com dedicatórias dos autores.

— O senhor vai abrir mão destes livros assinados por ele?

— Meu querido e recente amigo: Bilac e eu éramos como irmãos. Pouca gente sabe, mas Olavo era padrinho de Galatea. Trago a obra do compadre impressa pra sempre, na minha cabeça e no meu coração. Tenho certeza de que, lá do Panteon dos verdadeiros imortais, ele está aprovando o meu gesto. Hoje, é raro encontrar um jovem que ame a poesia e a literatura.

— Não sei o que dizer.

— Então, não diga nada — finalizou o poeta, dando-lhe um abraço carinhoso. — Minha filha vai acompanhá-lo até a porta. Volte sempre.

— Pode estar certo que sim — garantiu o detetive, estendendo-lhe a mão e trocando um olhar cúmplice com Galatea.

Assim que se viram abrigados pela penumbra do corredor que levava à saída, Machado largou as oferendas no chão, e os dois agarraram-se sofregamente. Extravasando o desejo reprimido, beijaram-se como alucinados. Apoiando Galatea contra a parede, Machado levantou a saia da moça, e ela, num gesto rápido, abriu-lhe a calça e empunhou o membro intumescido. Trêmula de excitação, puxou-o para dentro de si.

O orgasmo foi simultâneo e ardente.

Ambos recolheram às pressas os livros espalhados à sua volta e seguiram em silêncio, de mãos dadas, para o ponto do bonde de Santa Tereza.

A doce Galatea ficou acenando até que o veículo desaparecesse na curva da rua.

O COLECIONADOR

Em toda a extensão das paredes na água-furtada da rua dos Inválidos, Veneficor construíra uma espécie de vitrine, que dava a impressão de ser um vasto mostruário. Esse longo corredor iluminado e protegido por painéis de vidro nada tinha de singular. A morbidez insana do Envenenador brotava dos objetos que ele ordenava, com diligência, nessa montra funérea. Dispostos como numa passarela, viam-se vários bonecos feitos de massa, em tamanho natural. Para diferenciá-los de manequins comuns, Veneficor tentara recriar-lhes o rosto usando papel machê e moldara o corpo deles com tela gessada a fim de que ficassem com a aparência de suas vítimas. No entanto, as questionáveis habilidades do criminoso na arte da escultura davam feições grotescas aos descomunais fantoches.

Os três primeiros a ocupar a passarela vestiam os fardões roubados nas suas incursões noturnas. O resultado era tenebroso. Nada mais tinham de magnificentes aqueles trajes bordados. Ao verde do tecido de camurça somavam-se, agora, manchas escuras de

sangue, além de pequenos torrões de terra gruda-
dos aos botões das fatiotas que ele arrebatara dos túmulos.

Ficava patente a demência do assassino quando
ele retocava, com ruge encarnado, a face das toscas
esculturas dessa exposição sinistra. Enquanto se ata-
refava em volta delas, articulava frases apocalípticas,
repetindo numa algaravia sem nexo:

— Meu nome é Morte, e o inferno me segue. Sou
o Mensageiro da Desforra, a Encarnação do Desagravo! Foi-me dado o poder de matar pelo veneno, pela
peste e pela putrefação da carne. Meu nome é Morte,
e vim montado num cavalo baio, para punir toda a iniqüidade. Meu nome é Morte, e sou o flagelo dos es-
cribas e dos magnatas, dos poderosos e dos lacaios dos
poderosos, dos ricos e dos falsos sacerdotes. Meu nome é Últor, o Vingador, e meu bramido é o resgate das
afrontas: *Vitriol! Vitriol!*. Sob o doce mel escondem-se
venenos terríveis!

Terríveis, sim, esses venenos desconhecidos da
ciência oficial, cujas fórmulas eram passadas, em segredo, de geração em geração, pelos membros da
Veneficorum Secta. Longe dos laboratórios das primeiras faculdades medievais e dos seminários renascen-
tistas de física e química, as receitas da Secta sobrevi-
viam ocultas em locais secretos, sob as pedras das
catedrais. Bruxas foram queimadas sem revelar o conhecimento destruidor dessa ciência colhida "no inferno, nas profundezas da Terra": "*Tellure sub ima in
inferis*".

Qualquer membro da Veneficorum Secta tinha
o poder satânico de desencadear epidemias. Alguns
ocultistas afirmam que os piolhos de rato, causadores

da peste negra de 1501, em Paris, foram contaminados pelo sangue de ratazanas previamente infectadas com uma solução espúria, inoculada por um envenenador da seita. O autor da pérfida encomenda seria Ludovico Sforza, duque de Milão e protetor de Leonardo da Vinci. A calamidade, que dizimou milhares de franceses, nada mais era do que um ato de vingança contra o rei Luís XII, que o destronara um ano antes.

Os mesmos estudiosos sustentam que, apenas acrescentando algumas gotas concentradas de um líquido inodoro nos poços de água que servem a cidade, um venerável da seita eliminaria sua população. Esses pesquisadores garantem que a Grande Praga de Londres, responsável pela morte de setenta e cinco mil pessoas entre 1664 e 1666, foi deflagrada por Sergei Piotr Vandislavski, um monge excomungado de São Petersburgo. Vandislavski, grão-mestre da Secta, teria agido por vingança, depois de ser expulso da corte do rei Carlos II como charlatão. Agora, tendo depurado as fórmulas de todos os venenos misteriosos da seita, Veneficor dominava-os plenamente.

Executada a tarefa a que se propusera, ele se afastou e observou, satisfeito, o resultado da criação repugnante. Sumiu pela porta de uma pequena alcova, situada no fundo do laboratório, na qual guardava suas vestes. Escarnecendo a Academia, o Envenenador cognominara o cubículo de "Salão Francês". Em instantes, saltou de lá inteiramente nu.

Aproximou-se do quarto manequim, que ainda estava sem roupas, e começou a acariciá-lo, lânguido, segredando palavras incompreensíveis no ouvido inanimado.

De repente, Veneficor, único membro da Secta no

hemisfério, atingiu um orgasmo delirante esfregando-se no andróide nu.

Exausto, rompeu com um grito aterrador a placidez tumular que envolvia a mansarda:

— *Lascive factum*, Brás Duarte! Houve outra logo depois!

O PAIZ

RIO DE JANEIRO, DOMINGO, 4 DE MAIO DE 1924

In memoriam

Será realizada hoje, na bellíssima igreja da Nossa Senhora da Candelária, missa solenne homenageando os três acadêmicos fallecidos nos últimos 30 dias, victimados pelo mesmo assassino psychósico.

A missa será celebrada pelo padre Ignacio de Villaforte, também da Academia Brasileira de Letras.

Espera-se a comparecência maciça de todos os Immortais, que, trajando seus fardões, symbolizarão o apoio monolíthico aos colegas ceifados pelos "Crimes do Penacho".

O verde e dourado dos fardões será um collyrio para os olhos, accrescentando um toque festivo às exéquias, tradicionalmente ennegrecidas pelos trajes de luto.

Em tais ocasiões, nunca é demais relembrar a história milagrosa dessa imponente igreja. O capitão da nau *Candelária*, Antônio Martins de Palma, construiu-a em 1630, cumprindo promessa feita a Nossa Senhora da Candelária, por ter sido salvo de um naufrágio junto com sua esposa.

O pianista e compositor João de Souza Lima, detentor do primeiro prêmio do Conservatório de Paris, em 1922, de passagem pelo Rio de Janeiro, agregará seu talento à solennidade, exhibindo uma reducção para órgão, composta por ele, do famoso *Requiem*, derradeira symphonia de Wolfgang Amadeus Mozart.

DOMINUS VOBISCUM

O templo de Nossa Senhora da Candelária, no centro da cidade, foi erigido no século XVIII, partindo de uma planta desenhada em formato de cruz. Construída em pedra lavrada, com forma geométrica, sua fachada lembra a magia das antigas catedrais. Duas torres projetam-se do frontispício, aumentando a magnitude do prédio. As paredes internas são revestidas de mármore de Carrara, e pinturas com temas bíblicos recobrem a abóbada, típica das grandes basílicas. As imponentes portas de bronze são esculpidas em estilo barroco. A história da igreja é contada num extenso mural restaurado recentemente.

Nessa chuvosa manhã de domingo, a nave da Candelária estava lotada. Autoridades, artistas, escritores com pretensão às vagas e representantes do corpo diplomático, inclusive Caio Pontes-Craveiro, com sua esposa, Manuela. Yamamoto, motorista e escudeiro fiel, observava de longe, em pé, próximo a um dos confessionários.

Os imortais, com seus bicornes emplumados presos à axila e ostentando os espadins recém-polidos para as pompas fúnebres, ocupavam os assentos da frente. O suor das mãos passava-lhes pelas luvas brancas, molhando as finas páginas de papel de arroz dos breviários.

Os fiéis, e os infiéis com suas esposas, espremiam-se nos bancos da igreja e respondiam, em latim, às palavras do sacerdote: "*Et cum spiritu tuum...*", muitos demonstrando uma fé que não possuíam.

Euzébio Fernandes postara-se na primeira fila, por dever de ofício. "*Noblesse oblige*", explicou, cumprimentando o comissário, ao chegar para o ato litúrgico.

O Coruja observou um homem alto, com uma roupa preta que já vira dias melhores, aproximar-se do poeta, saudá-lo com salamaleques subservientes e em seguida eclipsar-se pelo corredor lateral.

Afastada do pai, Galatea colocara-se entre Machado e Penna-Monteiro, os três numa região intermediária do recinto, de onde o detetive podia observar, sem ser visto, todos os acadêmicos. A empatia surgida entre a moça e Penna-Monteiro fora imediata. Galatea era diferente das costumeiras aventuras do policial. O médico sentiu que, dessa vez, o amigo tinha todos os motivos para se apaixonar.

Como cientista cético e agnóstico convicto, Gilberto de Penna-Monteiro mal ouvia o padre; entretanto, deleitava-se com a melodia executada por Souza Lima no órgão da Candelária.

Nenhum deles sabia que Veneficor assistia à cerimônia, alerta a tudo o que se passava. Seu olhar tresloucado ia de Machado para os imortais e deles para Ignacio de Villaforte. Para ele, os caçadores eram a caça. Dava atenção particular à ironia da escolha da música: o *Requiem*, de Mozart. Os tolos não tinham idéia de quão apropriado era o tema para ilustrar a tragédia que estava prestes a ser representada, conspurcando o palco daquele santuário.

Sim, o *Requiem*, última obra do gênio. O *Requiem*, encomendado por um misterioso personagem, que o incumbiu de compor uma missa fúnebre, dando-lhe um adiantamento.

Talvez até conhecessem a versão clássica da história, a qual relata que o compositor, com as finanças arruinadas, aceitou a encomenda e, com a saúde em declínio, pressentiu que a missa dos mortos que concebera era o seu próprio réquiem. Essa versão conta também que Amadeus, já muito doente, imaginou que aquele homem era o mensageiro da Morte.

De fato, Wolfgang faleceu antes de terminar sua obra-prima, em circunstâncias obscuras, afirmando que o tinham envenenado.

O Envenenador permitiu-se um sorriso de escárnio. O que só alguns iniciados sabiam é que Mozart estava certo. Ele foi assassinado pela ação fulminante de dois cáusticos venenos: o *Mucor phycomycetes*, um fungo indiano cujas sementes, diluídas em água quente e administradas como chá, aderem às paredes da faringe, crescendo rapidamente. Em três semanas, atingem os pulmões, infiltram-se nos alvéolos, sufocando pouco a pouco a vítima, numa lenta agonia. O resultado é semelhante ao das enfermidades das vias respiratórias. Os médicos concluem que o doente morreu de causas naturais.

O outro veneno é mais virulento ainda: chama-se Inveja. Mora na estante dos herbanários da alma.

O compositor oficial da corte do imperador José II chamava-se Antonio Salieri. Wolfgang, com seu talento inequívoco, despertou, através dos anos, a inveja do músico. O infortúnio de Amadeus foi a perícia esotérica que o destino depusera nas mãos do rival. Aos dezoito anos, Salieri havia sido iniciado na Veneficorum Secta, em Milão, por um tio marmorista da vila de Cuggiono, Ilito Amorino Marchesi. Aos vinte e três, um ano antes de ser nomeado compositor da corte, já era *Magister Venerabilis*, com conhecimento de todo o receituário da seita. Não lhe fora difícil obter acesso ao *Mucor phycomycetes* que matou sua nêmesis.

O público voltou a atenção para o órgão. Toda a música da missa era suave e confortante, transmitindo a idéia que Mozart fazia da morte: *requiem*, "descanso". Souza Lima interrompera a interpretação numa das passagens mais brandas. Chegara a hora da homilia.

Era impossível não ser tocado por aquela cerimônia. Não se via mais o frágil padre, com todas as fraquezas do homem. A autoridade e o poder espiritual que o sacrifício da missa lhe conferia faziam esquecer o vigário ridículo atormentado pelos pecados da carne, o escrevinhador provinciano que se escondia atrás do burlesco pseudônimo de Dorian Gray. Quem ali estava agora era o sacerdote Ignacio de Villaforte.

Terminada a leitura sobre Lázaro, no capítulo 11 do Evangelho segundo são João, padre Ignacio dirigiu-se com passadas solenes para o magnífico púlpito da Candelária, a fim de iniciar sua prédica. Em breve, ele pronunciaria mais uma vez, sublimadas pelo latim, as palavras que sempre o redimiam das transgressões humanas: "*Domine, non sum dignus ut intres sub tectum meum, sed tantum dic verbo, et sanabitur anima mea*" — "Senhor, eu não sou digno de que entreis em minha morada, mas dizei uma palavra e minha alma será salva".

O talento magistral do alfaiate Camilo Rapozo contribuíra para realçar-lhe a imagem hierática de pontífice. A alvura da túnica de seda branca contrastava com a irrepreensível casula roxa e a estola púrpura e prata.

Resplandecente, no púlpito, De Villaforte abriu

o missal e retirou dele um papel dobrado com o texto que havia composto para a ocasião. Olhou surpreso para a folha que segurava. Em seguida, as faces do padre afoguearam-se como as de Moisés quando surgiu no monte Sinai, trazendo as Tábuas da Lei.

Não demorou para que Machado e Penna-Monteiro percebessem que algo de muito errado se passava com Ignacio. Não era uma luz, como a do profeta, que lhe alterara as cores, e sim o sangue concentrado em seu rosto por um ataque apoplético.

Em vão, ele escancarava a boca tentando respirar. Um suor intenso brotava do seu corpo, empapando a túnica fina e aumentando a sensação de asfixia. Desesperado, o padre Ignacio de Villaforte rasgou as vestes como Caifás numa montagem mambembe da Paixão.

Machado e Penna-Monteiro correram a tempo de apará-lo nos braços, quando despencou, já sem vida, do alto do púlpito. Cerrada nas mãos do sacerdote, no lugar do sermão em versos alexandrinos que pretendia ler, encontrava-se a senha horripilante, pressagiando seu funeral.

Veneficor acrescentara duas palavras ao enigma:

LASCIVE FACTUM

Movidos pelo instinto de sobrevivência, os acadêmicos lançaram-se ao chão, escondendo-se sob os bancos da igreja. Apenas o poeta Euzébio Fernandes permaneceu de pé, rígido como uma estátua, semblante impávido e olhar desafiador.

Vendo o pai desprotegido, Galatea correu ao seu encontro e puxou-o para perto de Machado e Penna-Monteiro.

O alvoroço das pessoas que corriam, desorientadas, misturava-se ao ruído metálico dos espadins chocando-se contra o piso de mármore. Os gritos dos assistentes, mesclados às plumas brancas soltas dos bicornes atirados longe, emprestavam à catedral uma *allure* de rinha de galos. Em meio à balbúrdia, ninguém deu importância ao homem alto, envolto numa longa capa negra, que se afastava célere da Candelária.

Um mendigo sentado na escadaria da igreja deixou cair a caneca cheia de moedas, estarrecido com a patética figura que descera os degraus às carreiras, repetindo num ricto arrepiante:

— *Lascive factum! Lascive factum! Lascive factum!*

DEUS LHE PAGUE

— Doutor Machado, tem um vagabundo aí fora dizendo que viu o homem que o senhor está procurando.

O comissário virou-se para o guarda, que, lívido, fixava os olhos no cadáver contorcido do padre Ignacio de Villaforte, depositado na comprida mesa da sacristia, à espera do rabecão do Instituto Médico-Legal.

— Como, um vagabundo?

— O senhor sabe, um mindingo — explicou, estropiando o vernáculo.

— Manda ele entrar.

— Aqui!? — perguntou o jovem guarda, apontando, espavorido, para o corpo inanimado.

Machado pegou uma longa toalha rendada no armário da sacristia e jogou-a para o guardinha.

— Tem razão. É melhor você cobrir o defunto.

— Eu?

— Algum problema?

— Doutor Machado, eu comecei no serviço essa semana. Me pede qualquer coisa, doutor, mas não me faz chegar perto de padre morto. Ainda mais desse jeito. Minha mãe é devota.

O detetive apiedou-se do rapaz. Com o tempo, acostumara-se à visão da morte. Lembrou-se da primeira vez que vira uma vítima de assassinato. Era o corpo sem cabeça de um bicheiro em Madureira. A imagem do pobre homem perseguira-o em sonhos meses a fio. Tirou a toalha das mãos do guarda e cobriu o cadáver do padre, enquanto o polícia se benzia repetidas vezes.

O mendigo, típico pedinte por profissão, sentia-se acuado perante o comissário. Não devia ter mais que quarenta anos. Vestia um terno que fora branco em algum momento da sua existência. No pé direito, calçava um sapato roto pelo menos três números maior que o dele. O outro pé estava envolto numa atadura imunda, que devia ocultar um membro perfeitamente sadio. Não parava de coçar a barba e a cabeça coberta por longos cabelos, num indício óbvio de que seus pêlos serviam de abrigo a uma saudável colônia de piolhos. Machado refletiu e chegou à conclusão de que água e sabão eram nocivos ao couro cabeludo, pois nunca vira um mendigo careca. Notando que o homem estava meio embriagado, ofereceu-lhe uma cadeira, para que ficasse à vontade.

— Quer dizer que o cidadão avistou o elemento suspeito quando ele se afastava da ocorrência? — perguntou o Coruja, usando o jargão da polícia, o qual, aliás, ele detestava.

— Não só avistei, como vi ele direitinho. Vi com estes mirantes que a terra há de comer. O sacana acabou com o meu dia. Olha que missa de famoso dá uma nota, mas eu fiquei tão tonto com aquela assombração, que derrubei a caneca com a minha féria. A molecada da praça pegou tudo, me deixaram liso. Fiquei a xenxém, doutor — contou o indigente, anunciando que perdera o faturamento do dia.

— Como era ele? — indagou o policial.

— Safado. Ele era safado.

— Digo fisicamente. Que aparência tinha?

— Alto. Mais alto que o senhor. Parecia militar.

— Por quê?

— Não sei, mas parecia.

— E que mais?

— Eu acho que era estrangeiro, porque não parava de gritar numa língua esquisita. Ah, e era muito friorento.

— Como é que você sabe?

— Ué, doutor? Com um calor desses, o homem estava de capa! — sentenciou o bêbado, terminando o depoimento com um arroto sonoro.

PROCURANDO SEU LATIM

No domingo à tarde, Gilberto de Penna-Monteiro cumpriu seu dever de legista, acompanhando o corpo do padre Ignacio de Villaforte até o necrotério. Por solicitação da Cúria Metropolitana, os despojos do celebrado eclesiástico aguardariam no Instituto Médico-Legal até terça-feira, quando seria realizada a necropsia.

Depois de tomar todas as providências cabíveis como policial, o comissário Machado Machado foi com Euzébio Fernandes e a filha até Santa Tereza. Nenhum dos três pronunciou palavra até chegarem à residência do poeta. Continuavam chocados com o acontecido. Nem o Coruja, com sua experiência, presenciara algum dia cena tão dantesca. Ele tampouco estava tranqüilo em relação à segurança do poeta e de Galatea. Deixou dois guardas vigiando a casa e despediu-se, explicando que precisava lavrar a ocorrência.

— O que mais me amofina é ter que preencher essa papelada cheia de detalhes repulsivos.

— Acompanho você até a saída — disse Galatea, carinhosa.

Na porta, Machado passou-lhe seu endereço — ladeira do Russell, na Glória — e propôs:

— Amanhã te espero lá.

Galatea aceitou o convite e, na tarde seguinte, às duas horas, fazia amor com o detetive. O primeiro arroubo foi rápido, saciando o desejo contido. Depois, amaram-se de novo, dessa vez sem pressa, desfrutando o momento, um descobrindo com vagar o corpo do outro.

Finalmente, sentados na beira da cama, Machado quis saber tudo a respeito de Galatea, e ela, desvendar os mistérios do comissário. Era maravilhoso o despudor natural daquela mulher esplêndida, que exibia o corpo nu com a espontaneidade de uma criança, enquanto o policial se cobria com o lençol. Riram-se muito do episódio de sedução que ela criara na casa do pai.

— Não sei o que me deu. Acho que eu queria te levar à loucura.

— E quase levou...

Machado acendeu um Cairo. Ela não fumava, mas, por cumplicidade, volta e meia dava uma tragada no cigarro do amante. Ele falou de sua vida: do porquê do nome repercutido, homenagem a Machado de Assis, por quem o pai, o escrivão Rubino, era apaixonado; do amor pelos livros; da vocação incoercível e paradoxal para trabalhar na polícia; do apelido Coruja, dado pelos colegas, por causa das suas olheiras de poeta romântico. Contou que a mãe trabalhara como costureira para ajudar nos custos da faculdade de direito, já que o diploma era requisito indispensável para a carreira de policial. Revelou, emocionado, que os pais faleceram num acidente de trem na estrada de ferro Leopoldina. Espantou-se, pois nunca desnudara tanto a alma para uma mulher. Finalizando, informou-a de tudo o que sabia sobre os Crimes do Penacho.

Foi a vez de Galatea surpreendê-lo, contando que conseguira a proeza de se formar em medicina aos vinte e um anos — agora tinha vinte e sete.

Abandonara a prática havia um ano e meio para cuidar da mãe, que morrera de tuberculose galopante. Não tivera coragem de voltar ao trabalho, porque o pai continuava abalado pela perda da esposa, que fora sua primeira namorada, lá no Recife.

Era solteira, não que lhe faltassem pretendentes. A beleza dela atraía-os como o mel às moscas, porém, até então, seu intelecto e independência assustavam a maioria. Ultimamente vinha sofrendo o assédio de um certo Urbano Negromonti, escritor frustrado e professor de história num liceu em Campo Grande. Ele publicara dois opúsculos tediosos: um, intitulado *A problemática do mito na filosofia grega*, e o outro, *A influência das tribos arianas no Império Bizantino*. Pagara do próprio bolso as edições.

A moça percebera, desde o início, que, ao contrário do Jacó da Bíblia, que sete anos de pastor serviu Labão, na verdade de olho em Raquel, filha dele, o esquálido mestre-escola fazia-lhe a corte interessado apenas no poeta Euzébio Fernandes. O sonho maior de Urbano era a Academia Brasileira de Letras. Para concretizá-lo, era capaz de vencer sua misoginia natural e tentar seduzir-lhe a filha. Sob qualquer pretexto, aparecia para uma visita: rosto abatido, ralos cabelos negros e roupa antiga cheirando a desinfetante. Trazia charutos mofados e um buquê de flores murchas. Achava-se injustiçado e perseguido. Não desistia do cerco, apesar do desinteresse explícito da moça e da resistência de Euzébio a sugerir sua candidatura.

Aquela descrição lembrou a Machado o estranho que cumprimentara o imortal na Candelária.

Galatea fizera pós-graduação em neurologia e

fora aluna do professor Antônio Austregésilo, fundador da cátedra na Universidade do Rio de Janeiro. Despertara a curiosidade dos mestres por ser a primeira da turma. A façanha, realizada por uma mulher de beleza invulgar, suscitou o espanto e o interesse do catedrático. Austregésilo convidara-a para ser assistente dele, cargo que Galatea exercera até a mãe adoecer. O convite nada tivera a ver com as ligações acadêmicas entre Austregésilo e Euzébio Fernandes, nem com o fato de Olavo Bilac ser padrinho da moça.

Ao ouvir essa revelação, Machado pulou da cama.

— Meu Deus! Como é que não pensei nisso antes? O Austregésilo é neurologista, psiquiatra e um dos homens mais importantes da Academia! O que é que eu estou esperando?

— Não sei — disse Galatea, sem se alterar.

— E pode ajudar com a frase em latim da charada. — Franziu o cenho. — *Lascive factum...* que sentido tem?

— Que eu saiba, nenhum, mas ele conhece latim melhor que nós. Às vezes, latim, pra mim, é grego.

O Coruja animou-se.

— Então, menina? Vamos logo! Estamos lidando com um maluco. Ele mata acadêmicos, e até a língua que usa é morta. O professor é doutor em psiquiatria; é provável que consiga revelar o caráter do assassino — decretou, pondo o chapéu e saindo do quarto.

— Talvez seja melhor se vestir — advertiu Galatea. — Assim, enrolado num lençol e de palheta, ele vai achar que o maluco é você.

Se o professor Antônio Austregésilo conhecesse o comissário Machado Machado naqueles trajes, dificilmente deixaria de interná-lo.

DE MÉDICO, POETA E LOUCO

O professor Antônio Austregésilo Rodrigues Lima, famoso pelo dom quase infalível que possuía de fazer diagnósticos, acabara de acender o abajur na mesa do seu gabinete, no Sanatório Botafogo. Vestia um elegante terno cinza com colete e uma gravata azul-escura. Embora fosse sozinho, nunca descuidava da aparência. O médico não só mantinha essa clínica particular, com outros três colegas, como chefiava o Serviço de Clínica Neurológica da Universidade do Rio de Janeiro.

Austregésilo tinha trabalhos publicados nas revistas de medicina mais importantes do mundo, como *La Revue Neurologique* e *L'Encéphale,* e fora o primeiro a estudar os distúrbios do movimento.

Entretanto, não foram apenas os compêndios de medicina que motivaram a entrada de Antônio Austregésilo para a Academia. Ele era também ensaísta e lançara um livro de prosa poética na juventude.

Médico e poeta, portanto, e, para completar o ditado, seu pioneirismo na psiquiatria não o privara de uma "excentricidade": jamais abandonara as polainas *démodées,* o que lhe valera por parte dos *habitués* do Café Nice, que adorava freqüentar, o apelido de Pé de Luxo.

Amigo de Bastos Tigre e apreciador dos violões da boemia, o professor era sempre bem-vindo nas rodas intelectuais do café. A linguagem literária de Austregésilo, às vezes um tanto pomposa, levara um jovem humorista gaúcho chamado Appárício Torelly a galhofar, com sua verve invejável, do estilo gongórico do médico: "Pra complicar um texto, o Austregésilo é capaz de escrever: 'A mentira é apenasmente a negança da verdez'".

Dotado de extraordinário senso de humor, o cientista divertia-se com essas tiradas e encarregava-se de espalhá-las ele mesmo.

Nos fins de tarde, dedicava-se a estudar o histórico dos novos pacientes. Correspondia-se regularmente com os mais renomados psiquiatras e psicanalistas da Europa. Fora ele o primeiro a divulgar as idéias de Sigmund Freud, em 1916, no seu livro *Pequenos males* e, havia três anos, também escrevera *Psiconeurose e sexualidade*, sobre as teorias do médico austríaco.

O neurologista preparava uma carta para o suíço Eugen Bleuler sobre o comportamento de um esquizofrênico, quando Galatea e o comissário Machado Machado se anunciaram. Austregésilo reconheceu de pronto o detetive, da igreja e da sua visita ao Petit Trianon, porém dirigiu-se à moça:

— A que devo a honra desta visita, depois de ter sido abandonado?

— O professor sabe muito bem que não se tratou de abandono e que, se ainda me quiser, pretendo voltar assim que meu pai estiver mais resignado.

— Estou brincando, claro. E volte quando puder. Você foi uma das minhas melhores assistentes. Falando nisso, como vai seu pai? Nunca mais apareceu na Academia. Só o cumprimentei rapidamente na malfadada cerimônia da Candelária. — Olhou para o comissário. — Que pandemônio! Sabe que não consegui recuperar meu espadim? Algum mequetrefe deve tê-lo surrupiado como *souvenir* — brincou, apontando duas poltronas de couro para os visitantes.

Antes mesmo de sentar-se, Machado tirou o bilhete do bolso e colocou-o sobre a escrivaninha do professor.

— Por acaso, o senhor conhece Brás Duarte?

— Nunca ouvi falar. Quem é? — perguntou Austregésilo, olhando a mensagem.

— Também não sei. A única pessoa que deu mostras de conhecê-lo foi Lamaison. Morreu delirando, chamando Brás Duarte de Olavo Bilac.

— Típico do Lauriano — comentou o médico, sem esconder o desprezo pelo colega falecido.

Galatea retomou o assunto do bilhete:

— E essa frase, professor? *Lascive factum?* Nosso latim não dá pra tanto — sorriu.

Austregésilo examinou o enigma.

— *Lascive factum...* É curioso. *Lascive* tem vários significados. O mais óbvio vocês conhecem, "lascívia". Mas pode ser "brincadeira", "divertimento", ou mesmo "devassidão". *Factum*, claro, vem de *facio*, "fazer". Só que também é "ato", "obra", e no plural é usado como "feitos notáveis" ou "façanhas de guerra". Cícero usou a expressão *per lasciviam ludificare aliquem*, ou seja, "zombar de alguém por brincadeira". Escrito por um psicopata, não sei o que significa.

— Talvez esteja querendo dizer que, pra ele, tudo não passa de um desafio — sugeriu Machado. — O pássaro, por exemplo. Perguntei aos maiores especialistas, e ninguém conhece. Vai ver não quer dizer nada.

Austregésilo discordou do policial:

— Pra mim, são pistas, comissário. Tudo: o pássaro, o nome Brás Duarte e a frase. Pistas evidentes. Pistas que saltam aos olhos, só que nós não conseguimos enxergar. Os crimes são muito elaborados, mostram cultura e uma inteligência superior. Os venenos demonstram um conhecimento profundo de química, mas não há dúvida de que se trata de um revoltado, de um homem que se acha incompreendido pela sociedade.

— Então, por que é que deixa esses indícios? — indagou o detetive, confuso.

— Porque o assassino, na sua esquizofrenia, ao mesmo tempo que não quer ser pego, quer que o mundo saiba quem ele é — concluiu o neurologista.

— Esse tipo de criminoso sente uma imensa necessidade de reconhecimento. Enquanto não é descoberto, encara tudo como um jogo.

Galatea levantou-se e começou a andar pela sala.

— Acho que o senhor acaba de colaborar pra tradução da frase. Se ele encara tudo como um jogo, está usando *lascive*, não como "brincadeiras", é claro, mas como "travessuras". *Lascive factum*, "fazer travessuras". Ele quer nos dizer que está "fazendo travessuras" e que o Brás Duarte faz parte dessas travessuras.

Austregésilo encarou Machado, os olhos brilhando de admiração.

— É por isso que ela tem que voltar a ser minha assistente. — Virou-se para a moça: — Quando você usou a palavra *travessuras*, lembrei-me de uma passagem de Sêneca, na qual ele emprega o termo da mesma forma que o assassino: *lascive factum*, "fazer travessuras" — exclamou.

O comissário não resistiu e beijou Galatea na boca.

— Desculpe o meu entusiasmo, professor, e obrigado por sua ajuda. Falta descobrir quem é Brás Duarte e que raio de passarinho é esse. Mas pelo menos deciframos parte da charada. Agora, tenho que achar um elo entre as quatro vítimas.

— Quanto a isso, não sei dizer se há um arquétipo ou se basta ser acadêmico. Nem mesmo um psiquiatra consegue conceber o que se passa na cabeça das pessoas — ponderou o médico.

— Tem razão, doutor. A alma é um mistério. Ou, como descreveu melhor o patrono da sua Academia, a alma "é uma casa, não raro com muita luz e ar puro, mas também as há fechadas e escuras, sem janelas, ou com poucas e gradeadas".

Antônio Austregésilo disfarçou o espanto por ouvir, de um policial, uma citação quase textual de Machado de Assis. Machado Machado já se acostumara com a estranheza que seu hábito causava.

Quando o casal se despedia, o neurologista comentou:

— O Penna-Monteiro está trabalhando com você, não é? Belo cientista. Fui amigo do pai dele, o obstetra. Ele ficou triste quando o filho resolveu não seguir a sua especialidade, mas acabou aceitando ao ver que o rapaz tinha a patologia no sangue. Afrânio me falou maravilhas desse moço — completou, referindo-se a Afrânio Peixoto, seu colega de fardão e professor de medicina legal.

O mestre hesitou por um instante. Em seguida, dirigiu-se à prateleira repleta de livros atrás da sua mesa de trabalho e, depois de procurar atentamente, retirou dali quatro compêndios encadernados em couro amarelado, com a lombada corroída pelo manuseio. O detetive percebeu que se tratava de exemplares muito antigos, impressos em pergaminho. Austregésilo estendeu-lhe os volumes.

— Nada me faria emprestar estes livros, a não ser uma tragédia como essa. E estou sendo egoísta, porque também sou uma vítima em potencial. Diga a Gilberto que estude bem os quatro — recomendou.

Machado leu os títulos: *Traité de la peste, de la petite verolle & rougeolle*, de Ambroise Paré; *Traité des poisons*, de Maimônides; *De occulta philosophia*, de Heinrich Cornelius, e *Basilica chymica*, de Oswald Crollius. Jamais ouvira falar de nenhum dos quatro.

Vendo a estranheza no rosto do policial, o médico explicou:

— São muito antigos e esotéricos, mas é capaz que ajudem a identificar os venenos usados nesses homicídios. — Fez uma pausa. — Ou será que também eu devo dizer Crimes do Penacho? Prenda logo esse homem, porque eu pretendo continuar imortal por muito tempo — brincou o emérito professor e acadêmico Antônio Austregésilo Rodrigues Lima, servindo-se da expressão folhetinesca que agora designava os assassinatos.

Quando saíram do Sanatório Botafogo, Machado convidou Galatea para passar a noite em seu apartamento. A moça recusou.

— Adoraria, mas não é o momento de deixar papai sozinho.

O comissário insistiu em acompanhá-la. O casal foi namorando no vagão aberto da Ferro-Carril Carioca, que atendia a linha de Santa Tereza. Desfrutavam a aragem fresca do anoitecer e o panorama da cidade sob o céu estrelado. Pela primeira vez, o Coruja enxergou de maneira diferente aquela paisagem. Perito na prevenção de envolvimentos sentimentais mais profundos, admitiu que, dessa vez, corria o risco de se apaixonar.

O luar destacava a alvura da ponte dos Arcos, refletindo suas formas no chão do largo da Lapa.

Quebrando a perfeição desse quadro de paraíso tropical, uma criatura de negro encostada ao Lampadário Monumental do largo, em frente ao Grande Hotel, observava o bonde sumir de vista pela estrada do antigo aqueduto.

Só então partiu pela avenida Mem de Sá, seu vulto nefando diluindo-se nas trevas da noite.

A MORTALHA EMPAVONADA

Era madrugada, e o dr. Gilberto de Penna-Monteiro terminava de ler o último dos volumes espalhados em sua mesa. A burocracia da Cúria só permitira que se fizesse a autópsia do padre Ignacio de Villaforte na tarde que passara, e o corpo tinha apresentado os mesmos sinais de envenenamento dos três primeiros cadáveres, sem contribuir para o esclarecimento das mortes.

Gilberto retomou a leitura iniciada na véspera, assim que Machado Machado lhe entregara os alfarrábios do professor.

Antônio Austregésilo tinha razão: naquelas páginas descoradas estava registrado o que ele jamais encontraria nos manuais contemporâneos de medicina. E as informações apareciam claramente, ainda que dispersas pelos quatro tratados, dificultando-lhe a tarefa. O cruzamento das experiências de quatro mestres da Antiguidade, cujo conhecimento caíra em desuso, permitiu ao jovem patologista enxergar a luz.

Uma fusão equivocada de ciência com magia, ocorrida desde os primórdios da alquimia, causara o descrédito de várias fórmulas, as quais não foram estudadas pela cultura oficial das universidades por serem interpretadas como mera superstição ou bruxaria.

Penna-Monteiro trouxera para o pequeno laboratório da sua casa no Cosme Velho a batina do padre Ignacio de Villaforte. Não queria correr o risco de que a roubassem. Ao ler aqueles livros, deu-se conta de quão acertada fora essa decisão. Não sabia como, mas o mistério das mortes estava ligado aos trajes usados pelos acadêmicos.

Percorrendo o *Traité des poisons*, de Maimônides, esculápio do sultão Saladino, na época da Terceira Cruzada, fica sabendo como ele salva a vida do monarca, frustrando uma tentativa de envenenamento. Os conspiradores utilizam um líquido tóxico, extraído de raízes originárias da China, que, impregnado no turbante, infiltra-se pelos cabelos, causando a morte. Aos primeiros sintomas, o médico obriga o sultão a mergulhar despido numa cuba cheia de *acqua vita* e sal grosso. Além disso, impede que Abdul Gamayel, astrólogo da corte, ministre ao soberano o antídoto costumário, que lhe seria fatal. Aliás, nesse livro Maimônides alerta sobre o perigo do uso abusivo dos contravenenos.

Já o alquimista alemão Oswald Crollius, discípulo de Paracelsus e autor da *Basilica chymica*, detém-se no estudo da aplicação perversa do mercúrio, do chumbo e do antimônio. Menciona um ungüento preparado com esses metais e gordura suína que, em contato prolongado com o corpo, mata uma pessoa saudável em poucas horas, deixando-lhe a membrana mucosa da língua com uma tonalidade escura.

Uma pista importante aparece em 1568, no *Traité de la peste*, de Ambroise Paré, médico-cirurgião dos reis de França por várias gerações. O cientista, considerado o pai da medicina legal, fala de um substrato feito da pele de cadáveres, já em decomposição, de vítimas da peste negra, o qual serve como nutriente para um organismo que se alimenta de carne humana.

Em *De occulta philosophia*, clássico do ocultismo durante a Renascença, Heinrich Cornelius refere-se a uma composição obtida da essência de amêndoas amargas, agregada ao vitríolo. Tal substância é posteriormente diluída em arsênico, polvilho de cantárida e levedo. Segundo Heinrich, a rainha de Ganor, na Índia, assassina seu futuro marido, o rajá Bukht, saturando dessa solução mortífera as vestes nupciais do soberano.

O dr. Gilberto de Penna-Monteiro não tinha mais dúvidas: o veneno que vinha exterminando os membros da Academia estava impregnado na roupa deles. Só não compreendera ainda qual era o elemento catalisador que desencadeava o poder tóxico dos ingredientes.

Apesar da hora tardia, o clima quente abafava o pequeno espaço da sala. Gilberto levantou-se e abriu a janela. Deixou que a brisa da madrugada refrescasse o ambiente. De súbito, seu rosto suado iluminou-se: "Claro! É isso! O calor! O agente catalisador é o suor! A transpiração é que provoca a absorção do veneno! Quanto mais eles suam, mais os poros se dilatam, e mais eles se intoxicam!".

Faltava descobrir quem era o lunático que aprendera a juntar aquelas receitas tão diferentes numa nova fórmula avassaladora. Qualquer um poderia administrá-la. Era só aplicar uma leve camada na gola, no punho ou em alguma parte do tecido que ficasse em contato com a epiderme da vítima.

Voltou a se congratular por ter trazido com ele a batina do padre Ignacio. Com os recursos modernos de que dispunha, bastava examiná-la para confirmar sua teoria.

Lembrou-se de que, ao chegar em casa faminto, depois de passar o dia no Instituto Médico-Legal, concentrado na necropsia, largara a batina em cima do console do saguão da entrada e fora preparar um sanduíche na cozinha. Esquecera-a sobre o móvel, ao subir para o laboratório, entretido com os alfarrábios que começara a folhear enquanto comia. Desceu para buscá-la.

O portão da frente estava entreaberto, e o ferrolho havia sido forçado.

No lugar da sotaina envenenada, o assassino deixara outro recado zombador:

A Fome é inimiga da Virtude

"NÃO MENOSPREZES A SERPENTE POR SER RASTEJANTE. TALVEZ UM DIA ELA REENCARNE COMO DRAGÃO."

PROVÉRBIO CHINÊS

Sentado na sua poltrona favorita, o poeta Euzébio Fernandes segurava *Micromégas*, de Voltaire, um livro que sempre relia com prazer, pois tratava com muito humor da pequenez do homem na escala cósmica. Não tinha nenhum compromisso marcado e estava sozinho em casa, aproveitando aquele momento de tranqüilidade. Após o rebuliço de domingo, tivera reuniões no Petit Trianon com alguns colegas que pretendiam contratar guarda-costas particulares. Acabou convencendo-os de que seria inútil, já que não havia costas a guardar. O veneno agia de forma sub-reptícia.

O toque da campainha pegou-o de surpresa. Não esperava ninguém àquela hora da tarde. Os ataques recentes recomendavam prudência. Euzébio aproximou-se da entrada sem fazer ruído e espreitou pelo postigo. Vislumbrou o rosto oblongo de Urbano Negromonti, distorcido pelo vidro bisotado. Seu alívio não diminuiu a irritação com a visita inoportuna. Conservou a porta semi-aberta, contrafeito.

— Não sabia que tínhamos marcado um encontro.

Urbano esgueirou-se pela abertura. Vestia o mesmo terno preto, surrado e fouveiro. Nas mãos macilentas, trazia uma lata velha de biscoitos e o indefectível buquê de flores fanadas cheirando a cemitério.

— Não tínhamos. É uma surpresa — explicou, com um sorriso amarelo que lhe expunha os dentes estragados.

— Perdeu a viagem. Galatea não está.

O triste mestre-escola pousou a lata e o buquê no aparador, transformando o móvel num jazigo de biscoitos adornado por flores mortas.

— A verdade é que vim visitar o senhor — disse Urbano, ajeitando com os dedos os cabelos oleosos.

Era o que Euzébio Fernandes temia. Acompanhou o professor de história e amante das belas-letras até a sala. Indicou-lhe a cadeira mais incômoda do recinto e afundou na sua amada *bergère*.

— Em que posso ser útil?

— Bem, não é desconhecido do ilustre poeta o meu desejo de pertencer à Casa de Machado de Assis. Nas várias visitas que fiz à sua filha, insinuei sutilmente essa vontade. Hoje, pretendo ser mais peremptório: o peso dos meus trabalhos exige uma cadeira no Petit Trianon. Conto com seu empenho irrestrito nesta eleição, porque estou certo de que a estatura da minha obra não lhe ficou despercebida.

Fernandes, que não conseguira passar da segunda página dos livrecos, assentiu de olhos fechados. Negromonti continuou dissertando sobre sua minguada literatura:

— Eu destacaria, n'*A problemática do mito na filosofia grega,* as belas páginas onde descrevo em minúcias a cor púrpura da túnica de Sócrates. Quanto ao livro *A influência das tribos arianas no Império Bizantino,* a modéstia impede-me de salientar o zelo com que tratei a questão do assassinato de Dagoberto II por Pepino, o Gordo — afirmou, apontando para a barriga de Euzébio, como se ilustrasse o que dizia.

O acadêmico interrompeu o pretendente:

— Meu caro Urbano, a qualidade desses volumes preciosos não se discute. Só acho o momento inadequado. A disputa vai ser muito acirrada.

A explicação não convenceu Negromonti.

— Por que muito acirrada, se são quatro vagas? Existe um amplo espaço de manobra pra nossa campanha.

Com um gesto indefinido, o poeta argumentou:

— Ampla, sim. Ampla. Mas não se esqueça de que *ampla* é uma palavra ambígua.

— Como, ambígua?! — estranhou Urbano, a irritação transparecendo na voz esganiçada.

— Ambígua porque, quanto mais amplo o número de vagas, maior o número de candidatos. Você tem que entender que, em toda a história da Academia, isso nunca aconteceu. Há que ter paciência, meu amigo, esperar a ocasião certa. — E arriscou um gracejo, sorrindo: — A ocasião faz o fardão...

O trocadilho acabou de vez com toda a cerimônia de Urbano Negromonti. O verniz que cultivara tentando a interesseira ligação com pai e filha se desfez como num passe de mágica. Ele se levantou, derrubando a cadeira, e, com o rosto transfigurado pelo ódio, avançou para o poeta:

— Quantos, então?! Quantos desses macróbios idiotas têm que morrer pra que se reconheça o meu talento?! Diga! Quantos?! Por quanto tempo vou ter que fingir interesse nessa sua filha mimada, com a cabeça cheia de idéias progressistas?!

Demonstrando agilidade insuspeita num homem

daquele tamanho, Euzébio extraiu seu corpo da poltrona e enfrentou Negromonti, o rosto quase colado ao dele. O insulto despertou a memória atávica dos heróis de cordel, e o sangue ferveu nas veias do velho pernambucano.

— O quê, seu cabra safado!? Se depender de mim, podem morrer os outros trinta e nove que eu não escolho você, seu berdamerda! Como é que tem coragem de vir aqui vestindo essa gonga fubenta!? Puxe! Antes que eu lhe meta o pé na taioba! Escrevedor de fancaria! Vá! Puxe daqui!

O lamentável Urbano Negromonti, ex-candidato que nunca foi, deu-lhe as costas, lívido, e seguiu cambaleando pelo corredor em direção à porta.

Antes de sair, não se esqueceu de recolher as oferendas fenecidas que, ao chegar, deixara no aparador da entrada.

O ENIGMA

Galatea passou a manhã em casa, acalmando o pai, que continuava irritado com o extravasamento involuntário de fúria nordestina, enquanto Machado Machado, na chefatura, tentava localizar a residência de Negromonti. Galatea queria devolver um camafeu barato que Urbano lhe oferecera como sendo uma jóia rara da família. Saltava aos olhos o acabamento grosseiro no engaste de lata daquele berloque comprado na feira. Educada e gentil, a moça fingira-se deslumbrada com o presente. Mas agora, depois do entrevero, queria restituir o pífio mimo. Contudo, no colégio de Campo Grande onde Negromonti alegara ensinar, desconheciam o paradeiro do mestre-escola, que fora despedido por faltar às aulas com uma regularidade superior à dos alunos gazeteiros.

Urbano sumira sem deixar vestígios. No endereço que constava da sua ficha de inscrição, informaram que ele se mudara havia cerca de um ano. Machado ponderou que essa descoberta insólita poderia colocar o pretenso candidato na lista de suspeitos. Ligou para Galatea e marcou um encontro no apartamento dele, convertido em sede improvisada das investigações.

O comissário tinha assuntos relevantes a tratar, inclusive com Gilberto de Penna-Monteiro, com quem só conseguira falar no dia anterior, por telefone, ocasião em que lhe narrara o episódio ocorrido entre Euzébio Fernandes e Urbano Negromonti e ficara sabendo das descobertas do amigo. Perdera a tarde inteira prestando contas das investigações ao general Floresta, que, por sua vez, ouvira reprimendas do prefeito, a quem o ministro da Justiça, por ter recebido fortes pressões do cardeal, cobrava a solução do estrepitoso assassinato do padre Ignacio de Villaforte. Sua Reverendíssima estava furiosa porque os diários sensacionalistas insinuavam que o crime estaria ligado às atividades poéticas de Dorian Gray.

Machado relembrou o encontro da véspera. O general explodira:

— Quero que prendam imediatamente esse Dorian Gray!

O Coruja tentara explicar:

— Dorian Gray é o padre, general.

— Não me venha com histórias! O nome do padre é Ignacio de Villaforte!

— Mas Dorian Gray é *nom de plume*, general.

— Não interessa o cargo! Pode ser nondeplume, almirante ou senador! Quero o homem preso!

— Perdão, general, *nom de plume* quer dizer "pseudônimo". O padre Ignacio de Villaforte assinava alguns poemas como Dorian Gray.

Floresta não se dera por achado:

— Eu sei! Só estava testando você! Ou pensa que eu sou ignorante? Mas nós estamos no Brasil, e aqui se fala português, entendeu? Chega de mariquices!

O comissário Machado Machado ordenou a um escrivão que continuasse no encalço de Urbano Negromonti e partiu ao encontro de Galatea.

A primeira coisa que qualquer mulher faz ao invadir a intimidade de um homem solteiro é procurar entender o ambiente babélico do seu *habitat* para, em seguida, dar a esse espaço alguma aparência de harmonia. Os interesses ecléticos do comissário Machado Machado transformavam tal empreitada numa tarefa hercúlea.

Em cima da cômoda, dezenas de discos misturavam-se às meias e camisas. O dentifrício, guardado no armário do banheiro, confundia-se com o tubo de graxa lubrificante para pistola. Toalhas de mão conviviam com flanelas de limpeza, dependuradas no mesmo toalheiro. A mesa da copa servia para as refeições e de escritório, com as gavetas lotadas de arquivos de antigas investigações.

A pedido do Coruja, Galatea tentava organizar a área útil do apartamento na ladeira do Russell. Numa primeira vistoria, na cozinha a moça encontrou um par de algemas dentro do forno e caixas de munição na geladeira. Olhando aquelas balas, lembrou-se de um colega mexicano dos tempos da faculdade. Assistiam à autópsia de um cáften morto a tiros por uma prostituta, e ela se assustara com os projéteis extraídos do peito do marginal. Nunca esquecera as palavras sábias do amigo: *"No te alarmes, Galatea. A las balas no hay que tenerles miedo, hay que tener miedo a la velocidad con que vienen..."*.

Dois fatores complicavam ainda mais a arrumação de Galatea: nenhum papel podia ser jogado fora, e pilhas de livros erguiam-se do solo, dificultando a circulação. Aqueles montículos espalhados pelo assoalho pareciam formigueiros brotando dos tacos.

Paradoxalmente, as estantes da sala estavam vazias.

Sentado no braço do sofá, Machado explicou, apontando o aglomerado de volumes:

— É que um dia eu pretendo arrumar tudo isso.

— Pois esse dia chegou. Vem me ajudar.

— Agora? — muxoxou o detetive, escorregando para as almofadas do móvel.

— Agora, sim — ordenou a moça. — Vamos começar pela coleção que papai te deu. Anda, sacode a preguiça.

O comissário espichou-se e estendeu-lhe as obras completas de Euzébio Fernandes e Olavo Bilac. Galatea ia arrumando as edições autografadas na estante de cima. Com gestos delicados, ela afagava, uma a uma, as capas de couro dos livros. Conhecia-os de cor. Todos tinham um significado especial em cada momento da sua vida. Crescera junto a eles, embalada pela poesia sensível do pai e do padrinho.

Esticou-se na ponta dos pés para alcançar o alto da estante. Um livro de capa desbotada, preso entre os volumes encadernados, escapuliu-lhe dos dedos e caiu, quase se desfolhando. Ela sorriu ao ver de qual se tratava e o recolheu com carinho. Sentou-se ao lado do Coruja e mostrou-lhe o exemplar maltratado. Na capa, não se via o nome de Euzébio nem o de Bilac.

— Conhecia este trabalho? — perguntou.

O detetive abriu o livro na primeira página e viu que, diferentemente dos outros, aquele era dedicado a Galatea.

— Foi presente do tio Olavo quando eu era menina — explicou a moça, referindo-se ao poeta como o fazia desde pequena.

Machado leu o título:

— *Juca e Chico*, de Wilhelm Busch.

— *Juca e Chico*. Tradução de Olavo Bilac, meu padrinho — completou ela, sorrindo como uma criança.

O policial devolveu-lhe o livro.

— Já tinha ouvido falar, mas não sabia que a tradução era dele.

— É dele, e é sensacional — disse a moça, orgulhosa. — Fico impressionada com a maneira como ele pegou o espírito desse alemão doido, que mistura terror e humor num conto infantil. Os versos retratam bem a crueldade dos dois moleques, com muita graça. Você nunca leu mesmo?

— Nunca.

— Tem que ler. Na minha opinião, é uma obra-prima pra qualquer idade. É impossível não rir das estripulias dos meninos, apesar de saber que elas sempre vão acabar em desastre.

Ouvindo-a falar, Machado tinha a nítida impressão de conhecer uma história semelhante. De repente, recordou onde vira dois garotos como aqueles: nas tiras dos *Sobrinhos do Capitão*, publicadas num dos jornais de Lauriano Lamaison. Veio-lhe à cabeça a lembrança das gargalhadas do magnata divertindo-se com as traquinagens perversas dos pirralhos.

Galatea continuou:

— Sabia que os *Katzenjammer Kids* são inspirados neles? Aqui, os *Katzenjammer Kids* são chamados de *Sobrinhos do Capitão*. Também fazem coisas horríveis com a Mama Chucrutz e com o coitado do Capitão — explicou, rindo.

O policial pensou nas últimas palavras de Lamaison: "Brás Duarte é Olavo Bilac". Tinha que haver alguma ligação com aquele livro.

A moça refletia em voz alta:

— Traquinagens... eles fazem traquinagens, diabruras... travessuras! Fazer travessuras, *lascive factum*! Que coincidência!

Como seus colegas e o general Floresta sabiam, o comissário Machado Machado não acreditava em coincidências. Levantou-se, impaciente, e começou a andar pela sala, como fazia quando elaborava uma idéia.

— Acho que é mais que isso, meu amor. Acho que a chave pra entender a charada do assassino está aí, na história infantil.

Galatea cerrou o volume nos braços, como se protegesse as duas crianças.

— No meu livro!? Meu padrinho não tem nada a ver com esses crimes pavorosos.

— É claro que não, mas talvez o criminoso se identifique com os moleques. Vai ver que ele pensa que continua criança. Uma espécie de Peter Pan do mal.

Tirou o volume envelhecido das mãos dela e instalou-se a seu lado no sofá.

— Vamos ter que ler desde o início. A solução deve estar numa destas páginas.

Entreolharam-se ao ver o subtítulo. Abaixo do nome *Juca e Chico*, lia-se, em letras menores, a palavra *Travessuras*.

As primeiras linhas do prólogo pareciam confirmar que Machado estava no caminho certo:

Não têm conta as aventuras,
As peças, as travessuras
Dos meninos malcriados,
— Destes dois endiabrados,
Um é Chico; o outro é o Juca:
Põem toda a gente maluca,
Não querem ouvir conselhos
Estes travessos fedelhos!
— Certo é que, para a maldade,
Nunca faz falta a vontade...

A tradução de Olavo Bilac era magistral. Liam-se as aventuras como se a obra tivesse sido criada em português. O poeta havia adaptado os nomes dos personagens, facilitando a integração do leitor na narrativa.

O livro era composto de travessuras descritas com humor e talento extraordinários, o que amenizava as ações daqueles pequenos demônios, as quais beiravam o sinistro. Impossível não rir das crueldades que eles planejavam com extremo cuidado, mesmo prevendo-se o desfecho trágico.

Wilhelm Busch era, antes de tudo, pintor e desenhista. Seu traço moderno ilustrava os episódios com caricaturas extravagantes, e os bonecos distorcidos acentuavam o patético das histórias. Paradoxalmente, a poesia de Wilhelm era doce e cruel. Bilac captara com perfeição essa dualidade.

Machado e Galatea devoraram os dois capítulos

iniciais, e ele percebeu que as primeiras "travessuras" terminavam com um verso que lhe soava familiar. Era a mesma frase do bilhete que o assassino deixara na sacristia do padre, rabiscado com uma absurda grafia infantil: "Houve outra logo depois".

— "Houve outra logo depois" — repetiu, em voz baixa, abalado pela descoberta.

O Coruja acendeu um cigarro, dando uma longa tragada. Acabara de se deparar com a primeira pista real na investigação dos Crimes do Penacho. Tudo por causa de um livro que viera por engano da casa de sua doce Galatea.

— Obrigado — disse, beijando demoradamente a moça.

— Por quê?

— Depois eu digo por quê. Primeiro vamos terminar de ler o livro.

Iam começar a terceira "travessura", quando a campainha tocou. Estavam tão entretidos que tiveram um sobressalto, pensando, por um segundo, que eram Juca e Chico que chegavam para puni-los.

Machado abriu a porta para o dr. Gilberto de Penna-Monteiro. Pela aparência do legista notava-se que ele não dormia havia tempo. De fato, não pregava os olhos desde que descobrira como os venenos eram administrados. Também estava furioso consigo mesmo por não ter tido mais cuidado com a batina envenenada do padre.

Repetiu para os dois o que já havia adiantado mais ou menos por telefone. Expôs, em detalhes, de que maneira o suor, dilatando os poros e mesclando-se às substâncias tóxicas, agia como gatilho para a ação dos venenos exóticos que encontrara nos alfarrábios do professor Austregésilo. Ao escolher a medicina legal e a carreira de patologista, não imaginara enfrentar crimes dessa natureza, mais adequados à Idade Média. Conscientizou-se da arrogância dos catedráticos de Cambridge, com quem estudara, que desprezavam como crendices tudo o que fugia aos cânones da ciência oficial.

Por pudor, no telefonema não revelara o roubo da batina. Sentia-se impotente ante o atrevimento daquele assassino louco. Machado e Galatea tentaram consolá-lo.

— Podia acontecer a qualquer um. Estamos lidando com um psicopata que se arrisca a tudo pra conseguir o que quer — afirmou o policial.

— Claro! Quem entra no São João Batista e no necrotério atrás dos fardões não vai respeitar uma reles fechadura — completou Galatea.

— A fechadura da minha casa não é reles! — retrucou Gilberto, amuado como um garotinho de cinco anos.

Diante do ridículo daquela reação, os três caíram na gargalhada. Machado voltou ao assunto que interessava. Pôs Penna-Monteiro a par das descobertas que haviam feito na obra de Wilhelm Busch. Arrancou o livro das mãos de Galatea e levantou-se.

— Eu estava prestes a começar a ler o próximo capítulo. Querem ouvir?

A moça reclamou:

— Não é justo. A gente estava lendo junto!

— Sim, mas agora tenho platéia — declarou, pomposo, o detetive. — Estão prontos?

Penna-Monteiro e Galatea aproximaram-se no sofá, como duas crianças ansiosas para ouvir um conto de fadas.

Impostando a voz, o comissário Machado Machado passou a ler a terceira travessura:

Havia um homem na aldeia,
Alfaiate de mão-cheia.

Pulou alguns versos e continuou:

Blusa, capa, sobretudo,
Casaca de rabo — tudo
Sabia fazer com arte
O alfaiate Brás Duarte.

Fez-se um silêncio sepulcral na exígua sala do apartamento.

O detetive recriminou-se por não ter investigado mais a sério a derradeira declaração de Lauriano Lamaison. O Barão Amarelo não confundira Brás Duarte com Olavo Bilac. Ele tentava avisar que Brás Duarte era personagem do livro *Juca e Chico*, traduzido pelo poeta.

A silhueta minúscula de Camilo Rapozo agigantou-se na mente do comissário. Ele não conseguia entender o que compeliria o homenzinho àquelas atrocidades. Lembrou-se então de Machado de Assis.

— "O cancro" — citou, destacando cada palavra —, "quando rói, rói; roer é o seu ofício."

DA DISCUSSÃO NASCE A DISCUSSÃO

A conversa entre o casal e o amigo Gilberto continuou até de madrugada. Galatea preparou uma ceia com o que havia na despensa de Machado: bertalha e ovos.

Regaram o lauto banquete com uma garrafa de Vinha Grande, da Casa Ferreirinha, de uma caixa com que um comerciante português agradecido presenteara o detetive depois que este prendera o contador que o roubava.

Não havia unanimidade entre eles a respeito da espantosa descoberta. Penna-Monteiro teimava que o alfaiate não correspondia às descrições feitas do criminoso.

— Você mesmo o entreviu de longe, da janela, quando ele fugiu depois de enfiar a primeira mensagem por baixo da sua porta. As duas testemunhas que nós temos também descreveram o assassino como um homem alto: o rouba-túmulos e o mendigo bêbado da Candelária. Sem ofensa, Machadinho, mas Camilo Rapozo é anão!

Galatea nunca vira o alfaiate, porém o pai já lhe falara das suas diminutas dimensões e da famosa Alfaiataria Dedal de Ouro, responsável pelos fardões havia muitos anos. Segundo ele, Camilo era um homem dócil e educado. Euzébio fazia restrições às blagues dos colegas, que, sem exceção, sempre que a ocasião se apresentava, inclusive quando Rapozo aparecia no Petit Trianon, apalpavam-lhe a cabeça ou as costas, soi-disant para dar sorte. Riam-se muito do constrangimento que provocavam. O imortal simpatizava com todos os anões. "O gordo e o anão têm muita coisa em comum. Reparam logo na gente, sofremos preconceitos por causa do físico, e nada no mundo é feito à nossa medida", costumava afirmar. Lembrando-se do que o pai dizia, a moça reforçou a opinião de Penna-Monteiro:

— Concordo com Gilberto. Por mais que tenha sido visto de longe, ou à noite, ou na neblina, ou por um bêbado, anão é anão.

O Coruja tentou justificar sua teoria:

— Pode ser que tenha um parceiro alto. Depois, sendo o alfaiate oficial da Academia, era a pessoa com mais acesso aos fardões e à batina. Pra ele, seria muito fácil envenenar as roupas.

— Mas anão é anão... — repetiu Galatea, timidamente.

Machado acendeu um Cairo e desafiou Penna-Monteiro, que já conhecia tudo sobre o caso:

— Está certo. Então sugere outro suspeito. Quem? Manuela Pontes-Craveiro vestida de homem? O marido dela, o embaixador? O francês Maximilien? Urbano Negromonti? Monique travestida, ou Yamamoto, que não chega a ser anão mas é japonês?

— Qualquer um deles é mais provável do que o anão Camilo Rapozo. Você está esquecendo o mais importante: o motivo. Pelo menos todos tinham algum motivo pra matar uma das vítimas. O assassino ou assassina pode ter liquidado os outros pra encobrir o crime. Pra atrapalhar as investigações.

— Muito risco pra pouco motivo — insistiu o detetive.

— E que motivo tem o alfaiate pra se livrar dos seus clientes? — perguntou Penna-Monteiro.

— Quem são Manuela e Monique? Você não me disse que tinha mulheres envolvidas nessa história. Andou interrogando as duas? — quis saber Galatea, sua voz denotando uma ponta de ciúme.

— Mal falei com elas. Têm ligação com o francês e com o embaixador — mentiu Machado, acendendo um segundo cigarro antes de terminar o primeiro.

Deram fim à quarta garrafa do suavíssimo Ferreirinha sem chegar a uma conclusão. As idéias embaralhavam-se, prejudicando o raciocínio.

Às quatro da madrugada, os três estavam exaustos e embriagados. O comissário argumentou com Penna-Monteiro, sugerindo que a unha longa e pontiaguda de Camilo Rapozo podia ser o instrumento cortante que rasgara a garganta do infeliz capanga de Belizário Bezerra no cemitério. Gilberto não tinha mais forças para discutir. Galatea, com a testa franzida, olhava fixamente para a última mensagem cifrada, como se quisesse recordar alguma coisa.

Machado bocejou, encerrando o assunto:

— De qualquer forma, amanhã vou conversar com Camilo. Tenho uma boa desculpa pra passar na alfaiataria. Ele me prometeu um terno de tropical inglês azul-escuro, de presente, e não mandou até hoje.

Galatea achou estranho.

— E você aceitou?

— Muito a contragosto.

Penna-Monteiro, dando sinais de que não conseguiria passar outra noite em claro, despediu-se dos amigos.

— Preciso ir embora. Não agüento mais ficar sem dormir.

Antes de abrir a porta para Gilberto, o Coruja virou-se para ele e para Galatea e declarou, com a língua enrolada pelo vinho:

— Quero terminar nossa discussão lembrando as palavras de *sir* Arthur Conan Doyle, pronunciadas por Sherlock Holmes, meu ídolo de juventude.

Galatea interessou-se:

— Que palavras?

Apoiado na soleira, Machado recitou, caprichando no sotaque britânico, a frase clássica que o dr. Watson ouvira tantas vezes:

— *"When you have eliminated the impossible, whatever remains, however improbable, must be the truth."*

Galatea repetiu, numa tradução quase simultânea:

— "Quando você eliminou o impossível, o que restar, por mais improvável que pareça, tem que ser a verdade."

O comissário Machado Machado apagou a luz, acrescentando dramaticidade a essa sentença de efeito.

OLHOS DE RESSACA? VÁ, DE RESSACA...

Machado acordou ao meio-dia com um aroma forte de café invadindo o quarto. De olhos fechados, a cabeça latejando pelo excesso de vinho bebido na véspera, apalpou o espaço a seu lado na cama, onde esperava encontrar Galatea. Virou-se e encontrou apenas um bilhete sobre o travesseiro:

"Meu amor, fiz café e comprei pão fresquinho. Aproveite. Fui até em casa porque me lembrei de algo que pode ajudar bastante.

Volto logo.

Beijos, Galatea."

O Coruja levantou-se tonto de sono, foi à cozinha e, com a perícia desenvolvida por anos de celibato, requentou o café que a moça preparara. Engoliu um pedaço de pão, empurrando-o goela abaixo com goladas do rubiáceo fumegante, e voltou para o quarto. Achou que dormir mais quinze minutos enquanto sua amada não chegava seria uma panacéia para aquela enxaqueca.

Desabou na cama e cobriu-se com os lençóis mornos que recendiam à pele da doce Galatea, a de olhos de ressaca, como Capitu.

Assim que chegou a Santa Tereza, Galatea abriu o baú que ficava embaixo da sua cama, depositário de ternas lembranças da infância. Fazia mais de dez anos que não mexia naqueles guardados. Cada objeto tinha para ela um significado especial. Examinou cartas presas por fitas coloridas, trocas de confissões com amigas adolescentes sobre os primeiros namorados.

Folheando os cadernos de colégio, riu-se dos trabalhos manuais do primário, como a extravagante bandeira do Brasil coberta de purpurina verde e amarela onde escrevera "Ordem e Progrezzo". Nos álbuns antigos, deteve-se, nostálgica, nas fotografias dela com a mãe. Perdida em recordações, nem notou as horas passarem e aproximar-se o cair da tarde.

Por último, tirou do baú vários livros amarrados com um barbante grosso. Soltou o nó que prendia a pilha e vasculhou os textos castigados pelo tempo. Finalmente, achou os volumes que procurava. Esfregou-os na própria saia para livrá-los da poeira acumulada. Eram de uma velha edição portuguesa d'*Os livros da jângal*, de Rudyard Kipling.

Lembrou como, quando menina, correra ao dicionário do pai para descobrir que *jângal* significava "selva". Os livros da selva.

Não sabia bem por quê, mas o pássaro dos bilhetes do assassino recordara-lhe uma das ilustrações naqueles livros que ela lera e relera inúmeras vezes, fascinada pelas aventuras de Mowgli, o Menino-Lobo.

Examinou as folhas uma a uma, com cuidado, para não pular a informação que buscava. No topo de uma das páginas do segundo tomo, achou a imagem que transformava sua vaga lembrança em realidade. Viu o título do conto: "Rikki-Tikki-Tavi".

Animada pela descoberta, o coração saltando no peito, ela leu o primeiro parágrafo: "Esta é a história da grande guerra que Rikki-Tikki-Tavi travou sozinho pelas salas de banho do grande bangalô, no acantonamento militar de Segowlee. Foi ajudado por Darzee, o Pássaro-Alfaiate...".

Ilustrando o conto, lá estava o desenho do mesmo pássaro que aparecia empoleirado nas funestas mensagens.

Aquilo confirmava as suspeitas de Machado. O passarinho tinha inclusive um quê de anão.

Agradecendo a Kipling pela centelha, Galatea correu com o livro para o escritório do pai, onde estava a enciclopédia. Era óbvio que nenhum dos passarinheiros consultados conseguiria identificar a pequena ave: ela não pertencia à nossa fauna. Leu o verbete em voz alta:

TAILORBIRD. Pássaro-Alfaiate (Orthotomus sutorius) — *Pássaro canoro, freqüente nos jardins da Índia, em Java e no sul da China. Assim chamado por sua habilidade de costurar as bordas de várias folhas para construir o ninho. Com seu bico longo e fino, ele antes perfura as folhas recolhidas para juntá-las com fibras de plantas, seda*

de insetos ou até, encontrando janelas abertas, com peda-
ços de linha roubados das residências. O ninho é preso por
laçadas separadas que o pássaro-alfaiate amarra pelo lado
externo.

"Bico longo e fino...", pensou Galatea, lembrando-se da descrição que seu amado fizera da unha do
alfaiate. "Preciso ver de perto esse famoso anão."

Olhou o relógio e viu que passara boa parte da
tarde distraída, embalada pelas recordações. Tentou
ligar várias vezes para a casa de Machado, mas ele não
atendia. Decerto já saíra. Lembrou que planejava uma
visita ao alfaiate: quem sabe não o encontraria lá?
Resolveu esperá-lo na rua da alfaiataria. Talvez sur-
preendesse algum movimento suspeito, ou mesmo a
chegada de um cúmplice. Caso Rapozo a visse antes
do Coruja aparecer e desconfiasse de algo, ela in-
ventaria que viera trazer um recado do pai. A paixão,
que Galatea sentia pela primeira vez, impedia-a de
enxergar o perigo da empreitada. Queria participar,
ajudar o homem que amava. Como não conseguia re-
fletir claramente, preferiu fazer o que mandava o coração. Na agenda de Euzébio, que não estava em casa, achou o endereço da Alfaiataria Dedal de Ouro.

Enquanto partia às pressas, levando o livro, gritou um recado para Maria Eugênia, a velha babá portuguesa, meio surda, que fazia quase parte da família:

— Bá Maria, se o doutor Machado ligar, diga
que eu me encontro com ele na Alfaiataria Dedal de
Ouro.

— Na tabacaria? Andas a comprar cigarros? Ó menina, vê lá o que estás a fazer! Tu sabes que uma mo-
çoila de recato não fuma! — reclamou a portuguesa.

— Não, bá! É alfaiataria! — gritou Galatea. — Pode deixar que ele entende — repetiu, chispando casa afora.

Maria Eugênia fechou a porta, resmungando:

— Essa agora! Uma rapariga de bem meter-se a fumar! A culpa é do senhor doutor Euzébio, que acha piada nesses modernismos da cachopa.

Indiferente aos riscos que poderia correr, Galatea seguiu para a cidade, rumo à alfaiataria de Camilo Rapozo.

O BELO ADORMECIDO

Se o comissário Machado Machado pudesse calcular que os quinze minutos que pretendia cochilar se estenderiam até as quatro e meia da tarde, não teria voltado a dormir.

Nada compensava o sombrio despertar que experimentou quando verificou que Galatea ainda não chegara. Não fora apenas o vinho que o fizera perder a hora. Havia dias que estava com o sono atrasado devido aos Crimes do Penacho.

Deu-se conta de quão vazio ficara o pequeno apartamento sem aquela moça que conhecera poucos dias antes. Sua ausência inesperada pareceu-lhe um mau presságio. Ela não passaria tanto tempo fora sem pelo menos telefonar. O Coruja tomou um banho de chuveiro e vestiu-se sem fazer a barba.

Tentou ligar para Gilberto, na esperança de que ele soubesse do destino de Galatea. Sua ansiedade aumentou quando percebeu que a linha estava muda, confirmando as sátiras feitas na revista *Alô!... Quem fala?*. Os cariocas já aceitavam com resignação esses defeitos. Era provável que ela tivesse tentado chamá-lo e não conseguira completar a ligação.

Largou tudo e foi bater à porta do vizinho.

— Preciso usar seu telefone. É urgente.

Sabendo que Machado era da polícia, o vizinho levou-o até o aparelho, na sala. O comissário discou, nervoso, o número de Penna-Monteiro. O médico interrompeu um exame de corpo de delito para atendê-lo.

— O que houve?

— Galatea sumiu.

— Como assim, sumiu? — indagou Penna-Monteiro, preocupado com a angústia que transpareceu na voz do amigo.

— Sumiu! Ficou de ir a Santa Tereza, buscar alguma coisa relacionada com a investigação, e até agora não voltou — explicou o policial, omitindo que dormira além da hora.

— Bom, agora o mais importante é ficar calmo. Estou terminando o exame e encontro você aí. Não deve ser nada sério. Mulher sempre atrasa — mentiu Gilberto, tentando confortá-lo. — Enquanto isso, liga pra casa dela. Quem sabe ela não está lá?

Machado percebeu que não estava raciocinando direito. Evidente que a primeira coisa que devia ter feito era telefonar para Galatea. Acendeu um cigarro para clarear as idéias e, pedindo licença ao vizinho, que começava a se sentir partícipe de uma investigação, discou o número de Santa Tereza. Surpreendeu-se com o sotaque lusitano da voz que atendeu o telefone.

— Estou?

— Aqui é o comissário Machado. Por favor, eu queria falar com a dona Galatea ou com o senhor Euzébio Fernandes.

— Não se encontram. O senhor doutor Euzébio volta à noitinha. — Fez uma pausa. — É o doutor Machado ao aparelho?

— Sim, senhora.

— A menina Galatea deixou um recado pro senhor.

O policial animou-se:

— Graças a Deus! Qual é o recado?

— A menina saiu a correr com um livro nas mãos e disse que ia ter consigo pra comprar os cigarros.

— Que cigarros?!

— Isto também gostava eu de saber. Pois não acha um absurdo uma rapariga de boa família pôr-se a fumar?

Machado procurou não perder a paciência.

— Por favor, com quem falo?

— Comigo.

O Coruja respirou fundo.

— Sei, mas qual é o seu nome?

— Maria Eugênia. Fui babá da menina.

O detetive lembrou-se da história que sua amada lhe contara no dia em que se conheceram.

— Dona Maria Eugênia, acho que está havendo um equívoco nesse recado. A Galatea não fuma.

— Pois que não fuma sei-o eu. Estou a rezar pra que não comece. Se calhar, a menina quer fazer-lhe um mimo. O senhor fuma, pois não?

A invejável fleuma de Machado, herança paterna aprimorada por anos na polícia, começou a dar mostras de que estava prestes a se extinguir:

— Dona Maria Eugênia, eu tenho certeza de que a Galatea não foi comprar cigarros.

— Serão charutos? O senhor doutor Euzébio fuma charutos. Mas pode ficar tranqüilo. Nem se apoquente, ó homem, que a menina vai lá ter consigo — afirmou, querendo tranqüilizá-lo.

O efeito dessa conversa prolongada foi deixar o comissário mais impaciente. Afligia-lhe o tempo que passava sem ter notícias da moça: cada minuto aumentava a possibilidade de que ela corresse perigo.

Insistiu:

— Dona Maria Eugênia, por favor, procure reproduzir a frase exata.

Puxando pela memória, a portuguesa tentou a façanha:

— Ouve lá, calma, fique tranqüilo que a menina falou que ia encontrá-lo na tabacaria.

Um suor frio aflorou à testa de Machado.

— Dona Maria Eugênia, preste bem atenção: em vez de "à tabacaria", não foi "à alfaiataria"?

— Exatamente: à ta-ba-ca-ria.

— ALFAIATARIA! — berrou o Coruja, exaltado.

— Não grite que não sou surda! Escutei muito bem o que ela disse. Inclusive achei o nome do tal comércio uma patuscada.

— E qual era?

Dona Maria Eugênia enunciou com clareza no seu castiço sotaque lusitano:

— A Tabacaria do Pedal de Couro.

O detetive bateu o telefone, amaldiçoando o tempo perdido por causa daquele qüiproquó digno dos melhores *vaudevilles*.

Penna-Monteiro chegou quando ele, cansado de

esperá-lo, já se preparava para sair. Ainda abalado pela notícia, Machado relatou a temeridade que Galatea havia cometido.

— O pior é que a culpa é minha. Ontem comentei que hoje ia falar com o Rapozo. E se ele desconfiar de alguma coisa? Estou com um péssimo pressentimento. Vamos logo pra lá.

O legista argumentou:

— A esta hora a alfaiataria já deve estar fechada, e não temos nenhuma prova de que Galatea esteja com ele. Com que pretexto vamos entrar?

— Pretexto nenhum. Eu arrombo a porta. Você se esqueceu do estado de sítio?

Animado pela agitação, o vizinho prontificou-se:

— Posso ir com vocês.

Penna-Monteiro perguntou:

— Por quê? Você é chaveiro?

— Não, dentista. Mas sou muito curioso. Estou louco pra saber como é que essa história vai acabar.

Sem se dar o trabalho de responder, os dois desceram para a rua, entraram no carro de Gilberto e dispararam pela ladeira do Russell.

INVASÃO DE DOMICÍLIO

Quando Galatea chegou à rua dos Inválidos, os últimos raios de sol arroxeavam o céu, anunciando o lusco-fusco. O casarão ficava no centro do terreno, no final da rua, cercado por um extenso e malcuidado jardim. As portas da alfaiataria estavam fechadas. Não havia sinal de Machado. A velha mansão de três andares funcionava como loja, oficina e residência. O que ninguém sabia é que o mesmo prédio abrigava na mansarda o infame laboratório de Veneficor, mais conhecido como Camilo Rapozo, o magnífico alfaiate da Academia Brasileira de Letras.

Cosendo-se aos muros como uma sombra, a moça aproximou-se da casa e, através dos basculantes do sótão, viu luzes que bruxuleavam. Ignorando o fato de que essa aventura poderia ameaçar-lhe a vida e de que talvez seu amor estivesse nas mãos de um assassino, ela examinou, uma a uma, as janelas do térreo. Notou que, numa delas, a castigada persiana estava a ponto de se soltar dos gonzos. Usando o sapato como alavanca, conseguiu forçá-la e, num movimento ágil, pulou para o saguão escuro da alfaiataria. Foi tateando em direção à escada, seguindo a réstia de luz que vinha dos andares de cima. Parou quando atingiu o segundo patamar, perdida na penumbra. Estendeu as mãos, tentando se orientar, e esbarrou na parede arcaica, fria e úmida em conseqüência dos tratos causados por goteiras antigas. Num gesto de repulsa, recuou e, ao fazê-lo, sentiu-se enlaçada por dois braços fortes que a mantiveram imóvel.

Um lenço encharcado de clorofórmio que lhe cobriu o rosto abafou seu grito de pavor.

O MESTRE DO VOLANTE

Ao contrário de Machado Machado, que odiava automóveis, o dr. Gilberto de Penna-Monteiro considerava-se um dos melhores volantes do Rio, do Brasil e, por que não dizer?, do mundo. Pilotava com destreza sua Bugatti Royale, afugentando animais e transeuntes.

O hobby de Gilberto era cuidar do motor daquela verdadeira jóia. Passava as manhãs de domingo numa roda de aficionados, traduzindo para os mecânicos profissionais as revistas especializadas, pondo-os a par das últimas inovações do mundo automobilístico. Participara de corridas e conservava seus troféus num armário da sala.

Para o policial, era uma tortura sentar-se ao lado do amigo na sua máquina voadora. Mesmo naquele momento aflitivo, em que desejava chegar logo à rua dos Inválidos, estava tenso em virtude da condução audaz do rei das pistas. Ia anunciando os obstáculos, como um navegador:

— Poste na curva. Carroça na esquina. Bonde à direita. Cachorro na rua.

Gilberto procurava acalmá-lo:

— Fica tranqüilo, que eu guio até de olhos fechados.

— Talvez fosse melhor.

— Quando é que vais admitir que sou um excelente motorista?

— Jamais. Se, em vez de comissário, eu fosse guarda, ia te multando daqui até lá.

Nem aquela conversa tola conseguira afastar a obsessão que atormentava o Coruja pelo desaparecimento de Galatea. Não se perdoaria se algo terrível lhe acontecesse.

A rua dos Inválidos nunca parecera tão distante. Machado percebeu o quanto amava aquela mulher ao ouvir sua própria voz pedindo ao amigo, numa súplica:

— Pelo amor de Deus, Penninha, vai mais depressa.

O MALQUIMISTA

Cada um vê o que pareces, poucos sentem o que és.

Os homens devem ser acarinhados ou destruídos, pois que se vingam de pequenas injúrias. Das grandes, não podem.

MAQUIAVEL, *O Príncipe*

Galatea acordou com o ruído de uma melodia repetitiva que lembrava um cantochão medieval. Vinha da outra extremidade do salão, que, pelos basculantes, ela identificou como sendo o sótão da alfaiataria. Sua fronte latejava, e ela se sentia nauseada pelo clorofórmio. Candelabros e círios negros imensos espalhados pelo aposento iluminavam a mansarda. A moça piscou várias vezes, ajustando a visão à semi-obscuridade. Deu-se conta de que estava com as mãos e os pés amarrados, deitada num desgastado chão de tábuas corridas. Ao lado dela, jazia o *Livro da jângal*, aberto na página do pássaro-alfaiate. Levantou-se com dificuldade, apoiando-se nas costas de uma cadeira. Percebeu que o som vazava de uma porta no fundo da água-furtada. A cantiga que ouvia a aterrorizou. Constava apenas de uma frase em latim, seguida pela tradução:

Impia sub dulci melle venena latent.
Sob o doce mel escondem-se venenos terríveis.

Veneficor abriu a porta do seu "Salão Francês" e deixou-se ficar parado um instante, o contorno do corpo projetado pela luz atrás dele. Vestia uma longa bata de cetim negro que ia até o chão.

Ao ver aquela assustadora figura gigantesca, de quase dois metros, Galatea perguntou-se: "O anão? Onde está o anão?".

O Envenenador aproximou-se sem pressa, as passadas rígidas ecoando no assoalho carcomido. A demência nublava seu olhar, transfigurando-lhe as feições. Galatea registrou o objeto metálico e pontiagudo como um punhal que lhe envolvia o dedo mínimo, cobrindo uma unha exageradamente longa. A pequena lâmina afiada resplendia à luz das velas. O homem apontou com aquele dedo revestido de aço para a imagem do pássaro no livro aberto.

— Está procurando por Camilo Rapozo? — perguntou, a voz suave mascarando o desatino.

— Estou — disse ela, num sussurro.

— Achou.

Unindo o gesto à palavra, abriu a longa túnica e revelou as pernas de pau que o deixavam com quase um metro e noventa de altura.

Elas se diferenciavam das andas dos malabaristas, porque tinham o feitio de pernas normais e estavam de botas. O cano longo dos calçados terminava na pequena plataforma onde o alfaiate apoiava os pés. Na parte de trás das andas, uma haste subia até a dobra do joelho, permitindo que o anão as fixasse com largas correias de couro.

O mendigo bêbado que o vira saindo da Candelária fora correto na descrição feita a Machado. As pernas de madeira davam ao assassino uma andadura marcial.

— Camilo Rapozo. Nas horas vagas, Veneficor.

Galatea desabou bestificada numa cadeira, esquecida das cordas que lhe machucavam os pulsos e os tornozelos. Veneficor sentou-se ao lado dela, desatou as andas, lançou-as longe e transformou-se em Camilo Rapozo.

A moça acompanhou incrédula a metamorfose. Tomando seu espanto por admiração, Rapozo vangloriou-se, enquanto desfilava pelo laboratório:

— Não é fácil ficar tão à vontade em cima de andas. Requer muita prática. Comecei quando era criança, num circo das redondezas. Fiquei amigo dos palhaços, e todos os dias treinava com eles. Aquelas não eram assim sofisticadas. Eram apenas pernas de pau comuns, bem mais compridas. Eu praticava com andas de um metro e vinte. As que uso agora têm sessenta centímetros, por isso fico tão à vontade quando subo nelas.

Galatea adulou o assassino e mentiu sobre o motivo da sua vinda:

— É fascinante. Não sabia que alguém podia ter tanta habilidade. Mas diga-me: por que me deixou desacordada e me amarrou? Vim aqui só pra trazer um recado do meu pai. Ele quer saber se não dá pra alargar mais um pouco o seu fardão. Sou filha do doutor Euzébio Fernandes.

Rapozo irritou-se.

— Não minta! O obeso do seu pai está farto de saber que não há mais o que alargar naquele fardão. Não faço milagres!

— Você está enganado. Eu...

Camilo interrompeu-a:

— Eu sei que você está de namorico com aquele detetive de roupa esbodegada. Segui vocês dois várias vezes!

— Pois é. Inclusive ele ficou de vir aqui ainda hoje — informou Galatea, numa tentativa de intimidar o anão.

— Vai continuar mentindo? Eu vi você fuçando sozinha em volta da minha casa! Pensa que sou idiota?

Galatea começou a se preocupar com a demora de Machado. Por onde ele andaria? Será que lhe acontecera algo nefasto? Decidiu ganhar tempo:

— Eu sei que você não é idiota. Precisa ser muito inteligente pra conseguir fazer tudo o que já fez. Um homem assim não tem nada de bobo.

A palavra *bobo* acionou um escaninho da alma do anão, que vociferou:

— É claro que eu não sou bobo!

Começou, então, a girar em volta dela, pulando enquanto entoava uma cantiga de roda, com voz infantil:

— Eu não sou bobo! Eu não sou bobo! Eu não sou bobo! — Estacou e encarou-a, os olhos faiscando de ódio insano: — Como foi que descobriram?

— *Juca e Chico.*

O anão recuou, enraivecido.

— Aquele tolo conhecia *Juca e Chico?*

Galatea tratou de apaziguá-lo, fingindo-se de cúmplice:

— É claro que não! Sua idéia foi coisa de gênio. As pistas que você deixou foram muito difíceis: Brás Duarte indicando um alfaiate, e o pássaro-alfaiate, quase desconhecido. Fui eu que descobri, mas por acaso. *Juca e Chico* é o meu livro de cabeceira. Adoro as travessuras dos meninos.

— Eu também! Eu também! Sou igualzinho a eles. Pequeno, e faço travessuras. Tudo o que eu faço são travessuras.

Galatea sentiu que Rapozo estava fisgado pelo assunto e, utilizando-se do treino que tivera como psiquiatra, perguntou, serena:

— Quem foi que lhe mostrou o livro?

Camilo Rapozo sentou-se de novo ao lado dela, o olhar perdido, a voz voltando ao normal, e relembrou sua infância:

— Minha mãe. Eu ainda era criança. Mamãe fez tudo por mim. Foi ela quem me criou, me ensinou tudo. Inclusive a ser alfaiate, porque eu perdi meu pai muito cedo, nem me lembro dele. Ela teve que tomar conta da alfaiataria até eu aprender a profissão. Minha mãe começou a ler as histórias pra mim no dia que eu descobri que era anão.

— Sua mãe não era... *mignon?* — perguntou Galatea, lançando mão de um eufemismo.

— Não. Meu pai, sim; meus avós, bisavós e tataravós, todos anões, todos alfaiates. Mamãe, não. Mamãe era linda, alta...

— E como foi que você descobriu?

— No colégio. Um dia, os outros meninos começaram a gritar pra mim na hora do recreio: "Anão! Anão! Olha o anão!"... Quando cheguei em casa, perguntei pra minha mãe se eu era anão. Mamãe me sentou no colo dela e contou. Contou tudo. Depois disse que não era ruim ser pequenino e leu a primeira travessura do Juca e do Chico. Imediatamente, eu quis ser como eles.

Galatea continuou, conservando o tom desapaixonado e usando um tratamento mais íntimo:

— E os venenos? Como é que você adquiriu esse conhecimento extraordinário sobre os venenos?

— Minha mãe era grã-sacerdotisa da Veneficorum Secta.

— Seita dos envenenadores? — traduziu a moça.

— Parabéns pelo latim — elogiou Rapozo, com um sorriso maligno.

Galatea, calculando que Machado investigava seu paradeiro, mais uma vez tentou ganhar tempo. Para tanto, espicaçou a vaidade do anão:

— Incrível! Que seita fantástica é essa?

Veneficor passou a dissertar, como um mestre dirigindo-se ao discípulo preferido.

— É uma sociedade secreta muito antiga. Foi criada na Idade Média por Isidoro de Carcassonne, um monge guerreiro português, que escapou ao massacre dos Cavaleiros Templários. Meu tataravô foi o primeiro da família a ingressar nessa seita. Desde então, todos os Rapozo fizeram parte dela. O fato de ser anão facilita os envenenamentos, porque afasta as suspeitas. O anão é sempre tido como uma figura ridícula, inofensiva.

— Não diga isso. "Pequena é a coroa, não quem a porta."

— Lindo! De quem é?

— Shakespeare — mentiu Galatea, que inventara a frase na hora.

O alfaiate prosseguiu:

— Enfim, foi numa cerimônia da Secta que meus pais se conheceram. Hoje, não há mais essas reuniões. Sou o último membro vivo da Veneficorum Secta no Novo Mundo.

— É uma pena. Mas como é que você acumulou tantos conhecimentos?

— Durante anos, minha mãe foi me transmitindo os segredos da seita. Ela me fez decorar as fórmulas, antes de morrer provando uma nova poção por minha causa. Estava tentando descobrir um preparado que me fizesse crescer. Em vez disso, a solução diluiu todas as cartilagens e os órgãos do seu corpo. Teve uma morte lenta, urrava de dor.

Camilo Rapozo encerra a conversa bruscamente e aproxima-se do imenso caldeirão que borbulha pendurado sobre o forno. O fulgor da loucura volta-lhe ao semblante.

— Bem, se me dá licença, está na hora de preparar uma travessura.

— *Juca e Chico* é só ficção! — argumenta Galatea, em desespero.

— Era. Agora é realidade. A alma dos meninos mora em mim. Nós somos a sacrílega trindade!

Endoidecido, ele lança líquidos pestilentos e estranhos pós de cores escuras no caldeirão, enquanto improvisa:

Ai de ti, súcia imoral,
Que julga ser imortal.
Pois é hora da diabrura,
De mais uma travessura.

A PEDRA NA ENCRUZILHADA

Comprovando que o destino tem por ofício ser imprevisível, uma surpresa castigou os dois companheiros a caminho da Alfaiataria Dedal de Ouro. Quando a Bugatti atingiu a rua Mem de Sá, próximo à rua do Lavradio, o possante motor de oito cilindros em linha, com quinze litros de cilindrada, obra-prima da engenharia automobilística, inveja dos construtores europeus, tossiu repetidas vezes e morreu, exalando um tímido suspiro.

O pânico tomou conta do Coruja, que saltou do carro e se pôs a chutar os pneus.

Penna-Monteiro também saiu do veículo e, enquanto abria o cintilante capô de metal, buscou tranqüilizá-lo:

— Calma. Muita calma. O importante é conservar a calma.

Machado refreou o ímpeto de transferir os pontapés para as canelas do amigo. Gilberto começou a analisar o problema:

— Não pode ser nada grave. Fiz uma revisão geral domingo passado. Deve ser um probleminha no distribuidor.

Examinou os cabos e constatou que não era.

Como sempre acontece quando um automóvel fora do comum enguiça, os curiosos e palpiteiros apareceram com a rapidez de formigas atrás de açúcar, despertado o mecânico latente em cada membro do chamado sexo forte:

— Pra mim é o acionamento da árvore de comando.

— Está me cheirando a virabrequim.

— Vinha batendo biela?

— Pode ser coroa e pinhão.

— Meu cunhado é chofer de praça. Garanto que é carburador.

— Nada disso. É pistom. Deve ter fundido o anel de segmento.

Gilberto verificava cada diagnóstico, mesmo os mais absurdos, e nada encontrava. As roupas cobertas de graxa, ele se arrastava embaixo do veículo. Até que, em desespero de causa, Machado Machado, o único que não entendia nada de motores e detestava automóveis, sugeriu:

— Não será falta de gasolina?

Penna-Monteiro foi olhar o tanque, e era.

Não havia nenhum posto de abastecimento à vista. Gilberto atribuía o incidente ao que chamava de "peripécias de percurso". Como estavam perto da rua dos Inválidos, Machado e ele abandonaram a Bugatti

Royale, menina-dos-olhos do legista, e seguiram a pé, correndo como alucinados.

O detetive comentou:

— Quem devia ficar na rua dos Inválidos era esse seu carro.

Vendo o quanto o amigo estava irritado com sua distração, Penna-Monteiro inventou:

— Eu juro que enchi o tanque antes de sair de casa.

Machado olhou para ele e, sem pestanejar, citou Machado de Assis:

— "A mentira é muita vez tão involuntária como a transpiração."

REVELAÇÕES

Veneficor pretendia encerrar sua missão de envenenador no dia seguinte, quando completaria a mais gratificante de todas as "traquinagens". Depois, voltaria a ser apenas o artífice da Alfaiataria Dedal de Ouro, o anão inofensivo que todos ignoravam, a não ser nas ocasiões em que lhe requeriam os talentos com a agulha, a linha e a tesoura.

Por enquanto, desfrutava daquela reduzida platéia compulsória. A solidão era a perene companheira de seus atos ignóbeis. Nunca pudera exibir-se como fazia agora, sem constrangimentos. Certo de que a única espectadora dele não sairia dali com vida, deleitava-se com o som da própria voz e esmerava-se em torno do caldeirão fumegante, preparando a fórmula para a derradeira "travessura".

— Como lhe disse, tudo começou com o meu tataravô, António Gomes Rapozo, que era alfaiate do marquês de Pombal. Foi quem financiou a primeira alfaiataria, lá em Lisboa. Por indicação do marquês, ele passou a fazer as roupas do rei, tornando-se artífice de cortes e costuras da família real. Dom José I achava tanta graça em ter um anão por perto que nomeou meu tataravô também bobo da corte.

— Seu tataravô era bobo? — A moça corrigiu a gafe: — No bom sentido, é claro.

— Pois é. Só porque era anão. Ficou tão humilhado que aceitou a proposta feita por um primo do duque de Aveiro pra envenenar o rei, que morreu, digamos, em circunstâncias misteriosas — explicou Veneficor, com um sorriso de menino arteiro.

— Foi assim que seu tataravô conheceu a Veneficorum Secta — deduziu Galatea.

— Muito bem — confirmou Rapozo. E ironizou: — Você aprende rápido...

Descendo pela Mem de Sá, Machado e Gilberto cruzam a rua do Lavradio.

Camilo prosseguiu:

— A partir daí, a família ingressou na seita, e a saga continuou. Meu bisavô, Manoel Rapozo, o Manuca, também alfaiate, foi vítima do mesmo ultraje. Teve que acumular as duas funções. Por mais que ele suplicasse, o príncipe dom Pedro, casado com Maria I, não permitiu que abandonasse o cargo de bobo da corte pra se dedicar somente à costura. O Manuca envenenou o insensível em 1786, e o filho dele, dois anos depois. Antes disso, contaminou o herdeiro com um ataque de bexigas purulentas.

— Se ele já pretendia matar o rapaz, por que as bexigas purulentas?

— Por prazer.

— Entendo — assentiu Galatea, sempre procurando ganhar tempo.

— Mas o melhor foi o que ele fez com a rainha Maria I.

— A mãe de dom João VI, Maria, a Louca?

— E por que é que você acha que ela ficou maluca? — revelou, rindo, Camilo Rapozo.

Machado e Gilberto chegam à altura da rua Gomes Freire.

Com admiração fingida, Galatea compeliu o anão a ir adiante:

— Quer dizer que a doença da rainha Maria, a Louca, foi obra do seu bisavô?

— Claro! Pra mim, o seu trabalho mais sutil. Levou anos envenenando a infeliz. Depois das mortes suspeitas do marido e do filho mais velho, a guarda palaciana revistava todos os visitantes. Mas Manuca era o bobo, o palhaço. Ninguém lhe dava muita atenção. Ele carregava o veneno escondido nos guizos do chapéu.

— Muito inventivo. E que veneno é esse que causa loucura?

— O peiote. Um cáctus que provoca alucinações, trazido do México em 1650 por frei Bernardo de Saraga, um frade proscrito filiado à seita. O botão do peiote é consumido, em doses pequenas, pelos xamãs da tribo Huichol nas cerimônias sagradas, mas, usado em grandes quantidades, durante muitos anos, causa danos irreversíveis no cérebro. Quando meu bisavô faleceu, fazia muito tempo que a velha já estava completamente louca.

Camilo atirou mais lenha no forno que esquentava o caldeirão. Galatea incentivou-o a continuar:

— É uma lástima que nada disso possa constar dos livros de história. E seu avô?

Machado e Gilberto entram na rua dos Inválidos.

O anão prosseguiu:

— Sim, meu avô, Apolinário Rapozo, que veio pro Brasil com dom João VI. Depois que meu bisavô morreu, ele assumiu o posto de artífice-alfaiate-mor de Sua Majestade. Dom João não era chamado de "o Clemente" sem motivo. Atendeu aos pedidos feitos por intermédio da rainha Carlota Joaquina e alforriou meu avô da função de bobo da corte.

Galatea comentou:

— Imagino que dom João VI nunca soube do risco que correria comendo seus frangos se não tivesse consentido.

— Muito bem, grau 10! — brincou Camilo, como se desse nota a um aluno diligente.

— Obrigada — agradeceu Galatea, tentando dissimuladamente se desvencilhar das cordas que a machucavam mais e mais.

— Como recompensa, sua morte vai ser bem rápida — garantiu o anão, enquanto molhava numa proveta com um líquido negro a ponta de aço do esporão que lhe cobria a unha.

— Pensei que você estivesse começando a gostar de mim — arriscou ela, disfarçando seu pavor. Precisava desesperadamente alongar aquela conversa surreal.

— Gosto tanto que vou lhe contar a última travessura — disse Veneficor, e aproximou-se, sorrindo.

A túnica, longa demais agora que ele não usava as andas, varria as tábuas do assoalho, deixando um rastro sulcado e fazendo um ruído sinistro.

— Amanhã, vai haver uma sessão solene no Petit Trianon, com a presença de todos os acadêmicos. Inclusive seu papai.

— O que é que você vai fazer? — perguntou Galatea, dominada pelo medo.

— Um carinho. Vou me encarregar pessoalmente do chá. — Com um gesto elegante, mostrou o caldeirão, de onde se evolava um odor fétido, e explicou, como um *chef de cuisine* falando de iguarias: — O espantoso dessa fórmula é que, no final, o cozimento emite um cheiro irresistível de jasmim. Só que, na minha receita, o líquido derrete os órgãos e as cartilagens de quem bebe. Uma homenagem póstuma a mamãe.

A moça refreou a náusea. O Envenenador continuou:

— Não acha maravilhoso que a minha última travessura termine da mesma forma que o livro estúpido do Belizário Bezerra começa?

Ela lembrou que, no livro, todos os acadêmicos morriam bebendo o chá envenenado. Camilo recitou de cor um trecho da primeira página do *Assassinatos na Academia Brasileira de Letras*:

— "'*Finita la commedia!*' Divertiu-se vislumbrando a contradição no cabeçalho dos diários do dia seguinte: MORTOS TODOS OS IMORTAIS. Sim. Os quarenta Imortais da Academia."

Camilo deixou cair no chão a túnica incômoda. Vestia um calção preto de malha, justo como o dos atletas de luta greco-romana. Seu torso descoberto mostrava uma musculatura invejável, e ele tinha as pernas torneadas com harmonia. O corpo do alfaiate era uma miniatura perfeita do *David* de Michelangelo. Galatea surpreendeu-se. Não havia dúvidas de que Camilo Rapozo era um homem bonito. Um homem bonito e pequeno que lhe ameaçava a vida. Levantou-se e, mesmo com os movimentos cerceados, experimentou se afastar aos pulos.

Encetaram uma caçada à volta do caldeirão, onde a presa era maior que o predador.

A CARGA DA BRIGADA MAIS QUE LIGEIRA

No exato momento em que Veneficor consegue pegar a moça pelos cabelos para lhe dar a estocada mortal, a pesada porta do sótão vem abaixo.

O comissário Machado Machado e Gilberto de Penna-Monteiro atravessam o umbral da água-furtada. O esforço despendido na corrida deixa-os quase sem fôlego.

Antes que o detetive possa abrir a boca, o anão sobe numa banqueta e agarra Galatea, passando-lhe o braço ao redor do pescoço. Coloca o dedo mindinho, transformado em arma letal, contra a jugular da moça.

— Mais um passo, e ela morre.

Machado tira a palheta, dando idéia de submissão:

— Estamos parados. Não acha melhor conversar antes de cometer uma loucura?

— Loucura? Só os loucos cometem loucuras. Não sou maluco! Sei perfeitamente o que estou fazendo!

— Lógico que sabe. Desculpe, me expressei mal. Eu quis dizer "um desatino momentâneo". Daqueles que todo mundo comete e dos quais depois se arrepende. Nós já sabemos que é você o autor dos Crimes do Penacho. Pra que matar mais uma pessoa?

— Por brincadeira. Já que estou vendo que não

vai dar pra concluir minhas travessuras do jeito que eu tinha planejado — declara o alfaiate, com um riso infantil.

Penna-Monteiro vê as pernas de pau jogadas num canto. Tenta distrair Rapozo:

— Muito inteligente a idéia de disfarçar a altura com as andas. Ninguém ia imaginar que as mortes eram provocadas por um... um... um cavalheiro de baixa estatura.

— Anão. Pode falar. Anão. Não me incomodo. Como disse Shakespeare, "pequena é a coroa, não quem a porta" — lança Camilo, citando a frase inventada por Galatea.

Durante a resposta do alfaiate, o Coruja e Penna-Monteiro vão lentamente avançando na sua direção. Ele ameaça:

— Se vocês se mexerem de novo, adeus Galatea. O veneno na ponta desta lâmina mata em questão de segundos.

— Por que é que nós não conversamos um pouco sobre tudo isto? Afinal, nem sei por que você fez o que fez — propõe Machado.

— Não sabe? Claro que não sabe. Como é que ia saber? Nunca foi anão, pra sofrer as humilhações que eu sofri. Até que um dia me fartei. Foi fácil embeber os fardões e a batina nos meus venenos.

— Você fazia isso quando? — pergunta o detetive.

— Todos eles me chamavam pra ajudar na hora de vestir aquela parafernália absurda. Eu me prontificava, sempre humilde, e os imbecis vaidosos adoravam. Cansei de sentir as mãos suarentas daqueles velhos decadentes nas minhas costas, na cabeça, no rosto. Diziam que dava sorte e ficavam às gargalhadas. Isso sem falar naquele padre pervertido, que me apalpava em outros lugares!

Exaltado, ele aperta mais a pequena adaga envenenada no pescoço da moça. O Coruja procura acalmá-lo:

— Eu entendo. Você tem toda a razão. Pra mim, quando alguém tem razão, tem razão, e você tem razão.

— Também acho. Razão é razão. Ninguém vai negar que ele tem razão — confirma Penna-Monteiro.

A cólera ilumina o olhar do Envenenador. Ele passa a falar do alfaiate na terceira pessoa e confessa, enfim, o que mais o mortifica:

— Tem pior. Muito pior. Tudo isso o Camilo suportava com submissão, mas eu, o Veneficor, ia ficando indignado. A gota d'água foi quando começou o jogo de empurra.

— Que jogo de empurra?

— Entre o acadêmico e o estado do imortal, pra pagar o fardão. E se o estado não pagar? Mesmo quando paga, e o tempo que leva? Eles podiam pelo menos adiantar o dinheiro, porque a alfaiataria do Camilo está indo à falência! E os mais ricos são os que menos ajudam. Camilo pedia, rogava, suplicava, e nada! Por isso eles foram os primeiros: Belizário Bezerra, milionário e arrogante. Aloysio Varejeira, milionário e ladrão. Lauriano Lamaison, milionário e canalha. Depois o padre Ignacio, pobre mas devasso e mentiroso, que fez uma vestidura caríssima e disse que foi a Academia que encomendou mas o estado é que ia pagar. Eu pergunto: alguém aqui já conseguiu receber em dia uma conta do estado?!

Machado, Penna-Monteiro e até Galatea baixam

os olhos, encabulados. Realmente, cobrar do estado podia levar qualquer um à loucura.

O Envenenador termina sua diatribe aos berros:

— Veneficor se vingou porque eles não pagam! Os miseráveis não pagam!

Galatea interfere, com medo de ser picada pelo anão enraivecido. Não sabe se o chama de Camilo ou de Veneficor. Na dúvida, opta pelos dois:

— Camilo, acho que Veneficor está muito abalado. Vocês têm toda a razão. Agora nós compreendemos que a culpa não é de vocês. Tudo vai se esclarecer.

Penna-Monteiro oferece sua opinião abalizada de médico:

— Evidente! Vocês fizeram o que muitos gostariam de fazer. Vocês não são responsáveis. Foi um momento de privação de sentidos.

Machado reforça-lhe as palavras:

— Como policial, concordo com o doutor Penna-Monteiro. Não vai nem haver processo. No máximo, alguns dias de repouso na clínica do doutor Austregésilo.

O nome de um acadêmico intensifica a fúria de Camilo, que grita:

— Outro imortal? Nunca! Prefiro morrer!

Gesticulando no seu desvario, por um instante Rapozo afasta do pescoço de Galatea a pequena lâmina envenenada. Como um discóbolo, o Coruja atira-lhe a palheta, e a aba rígida do chapéu atinge sua testa em cheio. Ele se desequilibra em cima da banqueta e mergulha de cabeça, aos urros, na mistura virulenta do caldeirão.

Machado recolhe do chão seu precioso chapéu-palheta, que, nesse caso, mostrou ser uma arma bem mais eficaz do que o Colt .45. Os três ficam em silêncio por um instante, observando o anão se dissolver em meio ao borbulhar macabro. Em pouco tempo, daquele corpo perfeito em miniatura sobra apenas o pequeno esqueleto. Galatea lacra-lhe o epitáfio:

— Morreu como viveu. Num conto da carochinha, no caldeirão da bruxa.

O comissário Machado Machado aproveitou a presença de Penna-Monteiro, além de legista, perito em química, para fazer uma primeira exploração do local. Galatea seguia ao lado, a curiosidade açulada pelo que aprendera. Contou a eles tudo o que Camilo Rapozo lhe revelara sobre a família, os venenos e a Veneficorum Secta. Encontraram dezenas de frascos com líquidos exóticos, etiquetados com nomes em latim. Sob a bancada, acharam vasilhames com éter, terebintina e galões de álcool. Galatea refreou a repulsa quando Penna-Monteiro abriu uma caixa repleta de vermes. Havia outras, guardando asas de morcegos, cabeças de serpentes e produtos desconhecidos da ciência oficial.

Em meio ao silêncio, um zumbido chamou-lhes a atenção. Vinha de trás da cortina enodoada que ocultava a vitrine construída na extensão de uma das paredes. O detetive afastou-a, e eles se depararam com a passarela ocupada pelos horrendos bonecos de massa envergando os fardões e a batina esbulhados dos mortos. O zumbido era causado por gordas moscas-varejeiras, prenhes de larvas, que voavam em torno das figuras daquela medonha caricatura de museu de cera.

Havia ainda trinta e seis manequins desnudos, à espera de paramentos que jamais viriam.

Galatea desviou o olhar com asco, abrigando-se nos braços de Machado.

A CERIMÔNIA DE EXPURGAÇÃO

Restava resolver como se livrar de toda aquela imundície ameaçadora. Apesar da sua curiosidade acadêmica, Penna-Monteiro receava recolher amostras das poções, que eram desconhecidas, e acidentalmente deflagrar alguma epidemia. Machado sugeriu que se chamasse o dr. Carlos Chagas, chefe do Departamento de Saúde Pública. Chagas combatera várias epidemias: peste bubônica, febre amarela, varíola e a gripe espanhola. Penna-Monteiro deu o contra. Reconhecia o extraordinário talento do cientista, entretanto argumentou que estavam lidando com substâncias inexploradas. Até os exames nos laboratórios de Manguinhos constituíam um risco.

— Aliás, nós mesmos já podemos estar contaminados.

A melhor idéia veio de Galatea, a mais pragmática:
— Simples. Temos que incendiar a casa toda. É a única forma de evitar a possibilidade de uma praga. Além de impedir que uma mistura dessas caia em mãos de pessoas inescrupulosas.

Machado e Gilberto entreolharam-se. A solução era exeqüível. A casa que abrigava o laboratório e a loja do alfaiate se localizava no meio de um terreno isolado, bem longe das outras residências. As dezenas de velas que iluminavam o sótão eram justificativa suficiente para um incêndio. As tábuas velhas do assoalho, a cortina caindo aos pedaços, os recipientes contendo líquidos inflamáveis completariam a propagação das chamas, sem contar o forno aceso sob o caldeirão.

Uma coisa incomodava o comissário: os ultrajes e chacotas que levaram o homenzinho à insanidade durante anos de aviltamento como anão e também como alfaiate. Sabia que, muitas vezes, o governo era mau pagador. Seu pai tivera uma pequena casa desapropriada pelo plano de urbanização do prefeito Pereira Passos, em 1903, e morrera sem ver a cor do dinheiro público. Sacrificando, de vez, a vaidade de policial, já amortecida pelo fato da sua Galatea ter descoberto as pistas que redundaram na solução do caso, no boletim de ocorrência Machado Machado escreveria que:

o assassino, um mentecapto desconhecido em cujo encalço este comissário estava havia dias, foi surpreendido no depósito da alfaiataria roubando fazendas e materiais utilizados na confecção dos fardões. Adentrei o local do sinistro no instante em que o referido elemento, aos gritos no sótão, onde se localizava o depósito, vangloriava-se de seus crimes, segundo ele, por vingança. Ouvi nitidamente sua confissão, todavia não cheguei a tempo de impedir que o paranóico incendiasse o local. Uma cortina de fogo quase instantânea impediu-me o acesso às escadas. A sociedade livra-se do perigoso assassino, incandescido pelas chamas, sem conhecer, contudo, sua identidade. Camilo Rapozo, cuja coragem era inversamente proporcional ao tamanho, lutou bravamente até a morte, não em defesa do seu patrimônio, mas pela honra da Academia.

O Coruja contava resgatar a memória do pequenino alfaiate, tornado louco por anos de humilhação.

— Acha que o Floresta vai engolir essa patacoada? — duvidou Penna-Monteiro.

— Claro que vai. Assim que eu garantir que os Crimes do Penacho terminaram. O que o general quer é sossego.

Cabem a Galatea as honras de iniciar a depuração. Antes, recolhe o precioso *Livro da jângal* e mostra aos dois o pássaro-alfaiate, esclarecendo o último enigma das mensagens. Depois, com um dos candelabros, ateia fogo às cortinas. As chamas sobem rápido pelos panos. Os vidros estalam, e o incêndio começa a derreter os imensos fantoches. As labaredas transformam em cinzas as vestes, comprovando que, como os acadêmicos, seus fardões não são imortais.

Penna-Monteiro derruba os círios junto aos manuscritos pousados na bancada. Um candelabro encarrega-se de consumir o grosso compêndio da *Malignum opus* entronado no atril de madeira.

Machado derrama um garrafão de álcool na tábua corrida, que se incendeia ao contato de outro castiçal, alastrando o fogo pelo assoalho.

O calor fica insuportável. Os tecidos, brocados, aviamentos e passamanarias guardados nos andares de baixo também alimentarão o apetite pantagruélico das chamas. A um sinal do detetive, todos correm pelas escadas, antes que o incêndio as destrua.

Os três atravessam a rua e observam a nuvem de fumaça negra que se forma sobre o casarão. Um cheiro repugnante desprende-se dela. O vento divide em duas a nuvem negra, dando-lhe a aparência de pulmões. Enojado, o comissário espreme entre as mãos seu maço de cigarros Cairo e lança-o no meio das chamas. Nunca mais voltaria a fumar. Por um momento, ninguém pronuncia uma palavra, até que Gilberto pergunta a Machado:

— Está pensando em quê?

— No terno azul de tropical inglês que nunca vou ter — responde ele com ironia.

Galatea declara, sorrindo:

— Juro que prefiro você assim, espandongado. Espandongado, mas vivo.

Ao longe, faz-se ouvir a sirene, anunciando a chegada dos bombeiros. O policial comenta:

— Eles são muito valentes, mas não vai adiantar nada.

— Não sei, podem minimizar os estragos e encontrar vestígios do que aconteceu — diz Penna-Monteiro, preocupado.

— Impossível — garante o detetive.

— Como é que você pode ter tanta certeza? — pergunta Galatea, também apreensiva.

— Esqueceram da falta d'água?

O Coruja refere-se ao problema endêmico do Rio de Janeiro, que os bombeiros sempre enfrentam.

Os moradores das casas vizinhas começam a sair para a rua, tentando entender o que aconteceu. Machado, Galatea e Penna-Monteiro olham fascinados para o fogo que se alastra, hipnotizando-os.

— O belo horrível — diz Machado.

— O quê? — pergunta Galatea, sem tirar os olhos das chamas.

— Meu pai costumava dizer que essa dança das labaredas queimando é ao mesmo tempo linda e pavorosa. É o belo horrível.

Penna-Monteiro confirma:

— É verdade. Tive um professor muito feio chamado Euclides Belo, e o apelido dele era Incêndio. O Belo horrível.

A gargalhada dos três é interrompida pelo desmoronar da mansão desfazendo-se em brasas. O ruído lembra o urro derradeiro do Envenenador. As pedras transformam o velho casarão no mausoléu de Camilo Rapozo.

O comissário ajeita a palheta na cabeça e recita um necrológio, referindo-se ao anão:

— "O adulto apoucado, preso no corpo da criança a quem foi negado o crescimento, transmuta-se no menino descomunal e cruel. Imagem triste de um ser gargantuesco, genial e feérico."

— Machado de Assis — deduz Gilberto.

— Não. Machado Machado — responde o Coruja, beijando a sua terna Galatea.

O PAIZ

RIO DE JANEIRO, SEGUNDA-FEIRA, 12 DE MAIO DE 1924

Final feliz

Em uma entrevista collectiva realizada hontem, o general Floresta declarou encerradas com successo as investigações a respeito dos "Crimes do Penacho".

Agindo sob instrucções exactas do general, exímio conhecedor da psyche humana, que havia dias conjecturava sobre o envolvimento do suspeito, o comissário Machado Machado, acompanhado do dr. Gilberto de Penna-Monteiro e de uma senhorita desconhecida, presenciou a derrocada do assassino. O ignoto psychósico foi descoberto quando assaltava o depósito da Alfaiataria Dedal de Ouro em busca do rico tecido usado nos trajes dos acadêmicos. O assassino foi pego em flagrante pelo alfaiate antes da chegada do comissário.

O heróico Camilo Rapozo, encarregado da manufactura de todos os fardões, falleceu na ocorrência. Tanto Rapozo como o criminoso succumbiram em um incêndio dantesco provocado pelo meliante.

Finalizamos repetindo as palavras ditas de improviso por Floresta, na collectiva de hontem, a respeito de Camilo Rapozo: "Sua coragem era inversamente proporcional ao seu tamanho. Lutou bravamente até a morte, não em defesa do seu patrimônio, mas pela honra da Academia".

O fim de semana de Machado e Galatea é dedicado ao descanso e ao amor. Exorcizaram entre os lençóis os momentos horríveis passados juntos na sexta-feira.

Depois de dormirem dez horas seguidas, os amantes acordam com o ruído insistente da campainha. O detetive beija a amada e pede que ela não se levante.

— Vou ver quem é e volto pra cama. Ninguém me tira de casa hoje.

Veste a calça amarrotada e vai descalço abrir a porta. O zelador do prédio entrega-lhe o jornal e uma caixa muito bem embrulhada para presente.

— Quem deixou essa encomenda?

— Não sei, doutor. Parece que era pra chegar na semana passada. Atrasou porque o rapaz da entregadora estava gripado.

Machado agradece e volta para a sala. Põe a caixa imensa em cima da mesa, enquanto Galatea, curiosa, levanta-se da cama enrolada no lençol e debruça-se sobre o ombro dele.

O Coruja desfaz o laço colorido que amarra a tampa, onde se lê: "Para o Excelentíssimo Senhor Doutor Comissário Machado Machado".

Abre o embrulho e vê, deitado em berço de papel de seda, num cabide revestido de veludo vermelho, o magnífico terno azul-escuro, de tropical inglês.

Preso à lapela por um alfinete, há um bilhete escrito com caligrafia esmerada:

"Caro comissário,
Use com saúde."
Camilo Rapozo.

ESTA OBRA FOI COMPOSTA POR TÂNIA MARIA DOS SANTOS
EM DANTE E IMPRESSA PELA R.R. DONNELLEY MOORE
SOBRE PAPEL PÓLEN BOLD DA SUZANO BAHIA SUL
PARA A EDITORA SCHWARCZ EM ABRIL DE 2005